MEET BANGLADESH

VOICI LE BANGLADESH

ميت بنجلاديش

MEET BANGLADESH

Second Edition

1983

VOICI LE BANGLADESH

Deuxiéme edition

1983

ميت بنجلاديش

الطبعة الثانية

١٩٨٣م

Editorial Advisor
Lt. Col. Shah Salahuddin

Editor
M. A. Wahab

Layout and Design
Kalam Mahmood
Munir Khan

Production
Qazi Muzammil Huq
Kabirul Islam
Nazrul Baree
Iqbal Hossain

Arabic Calligraphy
M. A. Ahad

Published by
Department of
Films and Publications
Ministry of Information
Government of the People's
Republic of Bangladesh

Set in Monophoto Tiffany and Printed by
Padma Printers
and Colour Ltd. Dhaka

Price in Bangladesh
Tk. 350
U. S. $ 20

Conseillers Editoriaua
Lt. Col. Shah Salahuddin

Editeur
M. A. Wahab

Présentation et Dessin
Kalam Mahmood
Munir Khan

Production
Qazi Muzammil Huq
Kabirul Islam
Nazrul Baree
Iqbal Hossain

Caligraphie Arabe
M. A. Ahad

Publie par
Le Departement de
Films et de Publications
Gouvernement de la
Republique Populaire du
Bangladesh

En Monophoto Tiffany et imprime par
Padma Printers
et Colour Ltd. Dhaka

Prix au Bangladesh
Tk. 350
U. S $ 20

المحرر المستشار
المقدم شاه صلاح الدين

رئيس التحرير
م - ا - وهاب

الرسم والتعميم
كلام محمود
منير خان

الانتاج والاخراج
قاضى مزمل حق
كبير الاسلام
نزر البارى
اقبال حسين

الكاتب العربى
م - ع - احد

الناشر
قسم الافلام والمطبوعات
وزارة الاعلام
حكومة جمهوريه
بنجلاديش الشعبية

وضعت فى مونوفوتوتيبانى وطبعت
بدما بنتارس ايند كلارس
لميتيد داكا

الثمن فى بنجلاديش
٣٥٠ تاكا
٣٠ دولار امريكى

Photography

Amanul Haque
S. R. Nabi
K. M. Ameer
Aminul Islam
M. A. Mobin
Sujit Kumar Roy
Swapan Saha
A. Rahim
Monowar
A. R. Chowdhury
Anwar Islam
A. Salam
Akil Khan
K. H. Saadat Hossain
A. Rashid Chowdhury
S. Arefeen Khan
Mosaraf Hossain
Masood Hossain

Photographs by Courtesy

Press Information Department
Dhaka Museum
Survey of Bangladesh
Shilpakala Academy
Bangladesh Small and Cottage Industries Corporation

Photographies

Amanul Haque
S. R. Nabi
K. M. Ameer
Aminul Islam
M. A. Mobin
Sujit Kumar Roy
Swapan Saha
A. Rahim
Monowar
A. R. Chowdhury
Anwar Islam
A. Salam
Akil Khan
K. H. Saadat Hossain
A. Rashid Chowdhury
S. Arefeen Khan
Mosaraf Hossain
Masood Hossain

Photographies avec la gracieuse permission

du Departement de Presse et d'Information
Musee de Dhaka
Cartê Gouvernement du Bangladesh
Académic des Arts
La Corporation d'Industries d'Artisanat et d'Industries le geres du Bangladesh

التصوير

امان الحق
س ر نبى
ك م امير
امين الاسلام
م ا موبين
شوجيت كمار رائ
شوبن شاها
ا. رحيم
منور
ا ر شودرى
انوار الاسلام
ا. سلام
عقيل خان
ك ه سادت حسين
ا. رشيد شودرى
س عارفين خان
مشرف حسين
مسعود حسين

الصور المتحصلة عليها بمجاملة

قسم الصحافة والاعلام
متحف دكا
قسم مساحة بنجلاديش
اكاديمية الفنون الجميلة
موسسة بنجلاديش للمصانع الصغير و المنزلية

CONTENTS

SOMMAIRE — الفهرس

INTRODUCTION

Bangladesh is a land of varied beauty. Its verdant fields sweep the horizon, its farms create mosaic in the green and its rivers meander into the sea after giving life to the land. The people here are loving and love to be loved.

Bangladesh is also a dream come true to its people who held back nothing from sacrifice for its birth, writing in the process the saga of the War of Independence of 1971.

Bangladesh is a repository of religions and cultures. Here live the Muslims, the Hindus, the Buddhists and the Christians.

An Austro-Asian race first inhabited this area. They were followed by the Dravidians from Western India and the Aryans from Central Asia. It also took in a sprinkling of the Mongols, Arabs, Armenians, Persians, Turks and Afghans.

Ruled as the region now in Bangladesh has been at various times by emperors of Delhi, local monarchs, occasionally pockets of it by freedom-loving chieftains, the British and finally from Islamabad just before independence, many a political and administrative theory has been tested on its grounds over the centuries. Finally has triumphed the spirit of nationalism which the Bangladeshis never totally surrendered.

At present, a new chapter in its history of struggle, the struggle for economic emancipation, is being written by nearly 90 million people crammed in an area of 55,598 square miles. They have the bountiful land, mostly merciful monsoon skies, a huge reserve of natural gas and the promising waters of both the rivers and the Bay of Bengal to fight poverty with. But above all is their unbounded will and the ever-ready two hands.

In the following pages is a pictorial record of the land called Bangladesh, its people, its flora and fauna, its enchanting hills and mysterious forests, its economy, its culture, its crafts, its traditions—all that together make it a unique story of nature's splendour, history's turns, and ultimately the people's faith in its destiny.

INTRODUCTION

Bangladesh, terre aux payages variés et aux beautés multiples, est arrosée par des fleuves qui, après l'avoir traversé en serpentant, se jettent tranquillement dans la mer. Ses champs verdoyants, à perte de vue, se mèlent avec l'horizon. Ce pays est habité par un peuple aimable qui aime et aime d'être aimé.

Le Bangladesh est aussi un rève que son peuple a su tourner en réalité. Mais ce rève et cet exploit ont fait coulé beaucoup de sang et ont coûté des sacrifices énormes à son peuple. Ce fut la guerre de 1971 qui vit la naissance du Bangladesh.

Le Bangladesh veille précieusement ses religions et sa culture. Dans ce pays l'Islam, l'Hindouisme, le Boudhissme et le Christianisme se coudoient.

Cette région fut habité d'abord par une race Austro-asiatique. Puis vinrent, de l'Ouest de l'Inde, les dravidiens et de l'Asie Centrale les Aryens. Le Bangladesh reçut également la visite des Moghols, Arabes, Arméniens, Perses, Turques et Afghans.

Le Bangladesh a été sous la domination, à plusieurs reprises, des empéreurs de Delhi, des monarchs locaux, parfois des chefs locaux qui aimaient la liberté, puis des anglais et enfin d'Islamabad, juste avant son indépendance. Ainsi le Bangladesh a connu et a traversé par plusieurs sortes de politiques et d'administration. Finalement ce fut le national'isme bengalais, que ceux-ci n'avaient jamais abandonné, qui remporta la victoire.

Les 90 million habitants du Bangladesh, entassés sur une superficie de 143998, 82 Km^2, menent actuellement une lutte sans repit pour leur émancipation économique. Ils ont, pour le faire, à leur disposition : une terre très fertile, la mousson qui apporte la vie à la terre, une réserve importante de gaz naturel et surtout les eaux de ses rivières et de sa mer, la Baie du Bengale, d' une richesse inestimable. Ce sont avec ces outils que le Bangladesh luttera contre la pauvreté, mais il ne faut surtout pas oublier leur volonté et leurs deux mains.

Les pages suivantes illustrées vous feront connaître le Bangladesh, son peuple, ses flores et faunes, ses collines enchantresses et ses fôrets mystérieuses, son économie, sa culture, ses artisanats, ses traditions qui contribuent à faire de ce pays un exemple unique de la nature, un point tournant de notre histoire, et vous verrez la croyance de ce peuple dans son destin.

المقدمة

بنجلاديش هى دولة الجمال المتنوع - ان ميادينها المخضوضرة تحصد الافق وتخلق مزارعها الفسيفساء فى الخضر بينما تتعرج انهارها فى البحر بعد اعطاء الحياة للارض - وان الشعب البنجلاديشى هو محب و يحب بان يكون محبوبا -

وتعتبر بنجلاديش ايضا كالحلم المتحقق بعد تقديم اقصى التضحيات من شعبها لوجودها حيث ولدت هى كدولة مستقلة عن طريق بطولية حرب الاستقلال فى ١٩٧١ء

بنجلاديش هى مستودعة الاديان و الثقافات ويعيش هناك المسلمون والهنديون و البوزيون والمسيحيون -

قد سكن جنس استرالى - اسيوى اولا فى هذه المنطقة وتابعهم الدرابيديان من الهند الغربية والاريان من اسيا المركزية - و سكن فى هذه المنطقة ايضا المنغول والعرب و الفارس والاتراك والافغان و الارمينيان -

وكانت بنجلاديش تحت حكم الامبراطور فى دلهى و الملوك المحلية و روساء القبائل الاحرار وبريطانيا خلال القرون الماضية وحكام اسلام اباد قبيل الاستقلال -

تم اختبار عدة من النظريات السياسة والادارية على ترابها و فى النهاية فازت روح القومية التى لم تكن بنجلاديش تسلمها تماما قط -

وحاليا يتم كتابة باب جديد لتاريخ نضال الشعب البنجلاديشى البالغ عدده ٨٧ مليون تقريبا المحشود فى منطقة ٥٥،٥٩٨ ميلا مربعا للاصول ال التحرير الاقتصادى - ويمتلك الشعب البنجلاديشى الاراضى السخية والسموات الرحيمة وذخيرة ضخمة للغاز الطبيعى والثروات المائية للانهار و خليج البنغال للمحاربة ضد الفقر - وفوق كل ذلك توجد فى شعب بنجلاديش النية غير المحدودة والايدى المستعدة دائما للعمل

ان الصفحات التالية هى سجلات مصورة للارض التى تسمى بنجلاديش وشعبها وزهورها وحيواناتها وجبالها الساحرة وغاباتها المكثفة بالاسرار واقتصادها وثقافتها وتقاليدها و صناعتها - و كل ذلك تجعلها قصة فريدة لروعة الطبيعه و مقلبات التاريخ و نهائيا اعتقاد الشعب فى مصيره

THE COUNTRY
LE PAYS
البلاد

Land

Bangladesh is a deltaic plain of 55,598 square miles crisscrossed by mighty rivers like the Padma, Jamuna, Meghna and Karnaphuli and their numerous tributaries and distributaries. With a population of nearly 90 million (1981 census), the country is fenced by the Bay of Bengal on the south and by India on the east, north and west. There is a small strip of frontier with Burma on the southeastern edge. Most of the area is flat and alluvial. Hills and ridges also abound here. The Jaintia in Sylhet district and the Lushai in Chittagong Hill Tracts district are the tailpieces of the long Himalayan Range. The highest peak in the country (3,454 feet) is at the southeastern extremity of the hill tracts district.

La terre

Le Bangladesh est une plaine deltaique d'une superficie de 55,598 miles carrés (143998,82 Km²) qui est traversé par des fleuves telles que: Padma, Jamuna, Meghna et Karnaphuli et plusieurs de leurs tributaires. Avec une population d'environ de 90 million (récensement 1981), le pays est entouré au Sud par la Baie du Bengale, à l'Est, l'Ouest et le Nord par l'Inde. Il existe une langue de frontiere avec la Birmanie à l'extrême sud-est du pays. La plupart du pays est plate et alluviale de nature. Des collines et des crêtes sont en abondance dans le pays. La JAINTIA dans le district de Sylhet et le LUSHAI dans le district de Chittagong Hills Tracts sont le commencement des HIMALAYAS. Le plus haut sommet de nos collines est de 3454 pieds et il se trouve à l' extrême Sud-Est du district de Chittagong Hill Tracts.

2

3

4

الارض

ان بنجلاديش هى سهل دلتى مع مساحة ٥٥،٥٩٨ ميلا مربعا المتقاطعة بالانهار القوية مثل بدما وجمنا و ميجنا وكرنا بولى و فروعها الكثيرة- وحسب الاحصاء الاخير (١٩٨١) يبلغ عدد سكان بنجلاديش ٩٠ مليون نسمه ويحدها من الجنوب خليج للبنجال ومن الشرق والغرب والشمال الهند وبورما من جنوب شرق- وان معظم مناطقها منبسطة وغرينية وتوجد هناك ايضا كثير من الجبال والقمات - ان جونتيا فى محافظة سلهت ولوشائى فى محافظة تلال شيتا جونج من ذيل طويل لسلسلة جبال هيماليا- وان ارفع القمات فى البلاد (٣،٤٥٤ قدما) تقع فى منطقة جنوب شرق لمحافظة تلال شيتا جونج-

1 The coastal area
2 Plain land
3 A riverscape
4 Hilly area
5 St. Martin—the coral island

1 Region Cotiere
2 Scene ordinaire
3 Scene riverine
4 Region des collines
5 St Martin—Ile corail

1 المناطق الساحلية
2 الارض السهلة
3 مشهد النهر
4 المناطق الجبلية
5 سينت مارتن: جزيرة المرجان

6

7

Climate

The temperature is equable. In the winter it fluctuates between 49.6°F and 56.2°F and in the summer between 77.9°F and 78.9°F. The mean maximum temperature varies from 75.4°F to 78.4°F in January and 85.9°F to 89.2°F in July. The annual rainfall varies from 50 inches in the west to 100 inches in the north-east and to 200 inches in the submontane region in Sylhet district. Rains are sometimes accompanied by tropical cyclones and storms.

Le climat

La température est régulière. En hiver, elle varie entre 49,6°F et 56,2°F et en été entre 77,9°F et 78,9°F. La temperature moyenne maximale varie entre 75,4°F et 78,4°F en janvier et entre 85,9°F et 89,2°F en juillet.

La pluviométrie annuelle varie entre 50 pouces dans l'Ouest et 100 pouces dans le Nord-Est et 200 pouces dans la région du district de Sylhet. Les pluies sont parfois accompagnées de cyclones tropicaux et des orages.

الجو

ان درجة الحرارة معتدلة فى بنجلاديش - فهى تتراوح من ٤٩،٦° ف الى ٥٦،٢° ف فى الشتاء - ومن ٧٧،٩° ف الى ٧٨،٩° ف فى الصيف - بينما يتراوح متوسط درجة الحرارة من ٧٥،٤° ف الى ٧٨،٤° ف فى نيابر ومن ٨٥،٩° ف الى ٨٩،٢° ف فى يوليو ويتراوح متوسط سقوط الامطار من ٥٠ انشا فى الغرب الى ١٠٠ انشا فى شمال شرق والى ٢٠٠ انشا فى منطقة سفحية لمحافظة سلهت ، وترافق الامطار احيانا الاعاصير والعاصفات.

6 The rainbow
7 The autumn

6 Arc en ciel
7 L'automne

6 قوس قزح
7 فصل الخريف

Flora

The country is luxuriant in vegetation because of an abundance of water and sunshine. Its villages are usually buried in groves of mango, jackfruit, bamboo, palm, coconut and other useful trees. Herbs and shrubs are common everywhere. Most of the hilly regions are covered by deep forests. The biggest forest is the Sundarbans, the haven of the Royal Bengal Tiger, spreading along the south-western seaboard.

La flore

Il y a une vegetation luxuriante grace a l'abondance d'eau et de soleil. Les villages du Bangladesh sont souvent construits parmi les mangueiers, jacquiers, bambous, cocotiers et d'autres arbres. Vous trouverez partout que de la verdure et des buissons. La plupart des regions des collines sont couvertes de forets epaisses. La plus importante est celle de Sunderbans s'etendant tout le long de la cote Sud-Ouest et qui est le sanctuaire du tigre royal du Bengale.

الحياة النباتية

ان البلاد خصبة فى الحياة النباتية لتوفر المياه وضوء الشمس بكثير. وان اريافها منغمرة فى بستان المانجا وجاك فورت والخيزران وجوز الهند والنخلة والاشجار المفيده الاخرى. و توجد العشب والشجيرات ايضا فيها بكثير. وان

8 The 'Kadam' flower
9 The Water Lily
10 Dates
11 Lichi
12 Seasonal fruits

8 La fleur 'Kadam'
9 Lis d'eau.
10 Datte.
11 Letchis.
12 Fruits de la saison.

8 زهرة كدم
9 زمبق الماء
10 النخلة
11 ليجى
12 الفواكهة الموسمية

10

11

12

معظم المناطق الجبلية مستورة بالغابات العميقة. واكبر الغابات هى شندربن التى تعتبر بجنة النمر المشهور بريل بنغال تايجار الممتدة بالساحل فى منطقة جنوب شرق للبلاد.

13

15

13 The Royal Bengal Tiger
14 Elephants
15 Spotted deer

13 نمر بنغال الملكى
14 الفيل
15 الايل المنقط

13 Le tigre royal du Bengal.
14 Elephants.
15 Cerf tachete.

14

Fauna

The Royal Bengal Tiger is the pride of Bangladesh's fauna. Next comes the elephant. The cow family is represented by the gayal or the bison, buffalo and cow. There are six types of deer of which the barking deer, sambar and the spotted deer are most familiar. Hundreds of species of birds are found in the country. Among the common reptiles are the sea turtles, river tortoise, mud turtle, house gecko, agamid, monitor, skink, python, rat-snake, cobra, krait, crocodile, mugger and gavial. The principal fishes are hilsa, rohu, koi, magur, shing, pangas, prawn and lobster.

La faune

Le Bangladesh est fier d'etre le sanctuaire du tigre royal du Bengale. Vient ensuite l'elephant. La race bovine est représentée par le Gayal ou le bison, le buffle et la vache. II y a six types de cerfs parmi lesquels, le cerf qui aboie, le Samber et le cerf tacheté. Il y a des centaines d'espèces d'oiseaux dans le pays. Parmi les reptiles communes, on peut citer : tortue de mer, de rivière et des marais, Gecko des maison, lézard carnassier, lezard au corps très long, le phyton, serpent des rats, le cobra, le krait, le corcodile, crocodile des marais, gavial.

Les poissons bien connus sont : Hilsa, Rohu, Koi, Magur, Shing, Pangas les crevettes et les langoustes.

الحيوانات

ان النمر الشهير ريل بنغال تائجار- هوفخر الحيوانات بنجلاديش وثم ياتى الفيل- ويتمثل جنس البقر فى بنجلاديش بابيسون والجاموس والابقار- وتوجد هناك ستة انواع من الايل واشهرها الايل ذوالوصمة والصهبر وتوجد فيها ايضا مئات من اصناف الطير ومن الزحافات العاوية توجد فيها السلحفاة البحرية والنهرية والسلحفاة الوحلية والوزغة والعضرفوط والورل والثعبان والسقنقور- والفار، والحية والكريت والفيل والتمساح والغريال والمجار، والاسماك الرئيسية لبنجلاديش هى- هلشا و رهو وكوئى و ماغور وشينج و بانجاش والقريدس والكركنز

16

17

18

16 Kite
17 Yellow-beaked black bird
18 The Kingstork

16 الحدأة
17 طيوراسودذوالمنقارالازرق
18 كينج استورك

16 Cerf volant.
17 Merle au bec jaune.
18 Cigogne

Natural Resources

The richest natural resource so far is gas located in the eastern zone. Large gasfields are believed to exist in the offshore and north-western areas. The total proven reserve of gas is 9.3 trillion cubic feet. Efforts are under way to find oil. Huge deposits of limestone have been discovered in Bogra district while those of hardrock have been found in Rangpur and Dinajpur districts in the north. Coal deposits in Jamalpur district are available at a depth of 3,000 feet. Peat deposits exist in the districts of Faridpur, Khulna and several other places. Natural gas is being increasingly used as industrial, commercial and domestic fuel to reduce dependence on imported oil. Plans to produce 1.7 million tons of limestone, 1 million tons of cement and 1.7 million tons

20

21

19 A gas field
20–21 Drilling of oil
22 Bamboo
23 Timber
24 Forest

19 Champ de gaz.
20–21 Forage.
22 Bambou.
23 Le bois.
24 Foret.

19 ميران الغاز
20–21 ثقب النفط
22 الخيزران
23 الخشب
24 الغابة

23

of hardrock a year are expected to be completed shortly.

Les ressources naturelles

Le gaz, dévouvert dans la region Est du pays, est la ressource naturelle la plus importante du pays. On pense qu'il existe également du gaz en grande quantité au large de la côte dans la région Nord Ouest. La réserve constatee du gaz s'eleve à 9,3 trillions de pied cubic. On est en train de faire des efforts pour découvrir le pétrole. Des quantités très importantes de pierres a chaux ont été découvertes dans le district de Bogra, tandis que des rochers ont été découverts dans le district de Rangpur et de Dinajpur, les deux au Nord du pays. Le charbon de terre se trouve a une profondeur de 3000 pieds dans le district de Jamalpur. Tourbe se trouve dans le district de Faridpur, de Khulna et dans d'autres endroits. Pour réduire la dépendance sur le pétrole, le gaz est utilisé partout. Des plans pour produire 1,7 millions de tonnes de pierres à chaux, 1 million de tonnesde ciment et 1,7million de tonnes de rochers annuellement sont envisages on compte terminer les travaux bientot.

الثروات الطبيعية

ان اغنى الثروات الطبيعية المكتشفة لحد الان هو الغاز الموجود فى المنطقة الشرقية للبلاد و يعتقد بان توجد هناك ميادين الغاز الكبيرة فى المناطق البعيده عن الشاطى ومناطق شمال غرب - و احتياط الغاز المحقق هو ٩,٣ تريليون قدما مكعبا - و تجرى المحاولات لاستكشاف النفط - و تم استكشاف ذخيرة كبيرة لحجر الجير فى محافظة بوغرا بينما تم استكشاف الصخرة فى محافظتى رنجبور و ديناجبور و توجد هناك ذخيرة الفحم بعمق ٣٠٠٠ قدما بجمال غنج بينما توجد ذخيرة الخث فى محافظات فريد بور وخلنا والمناطق الاخرى و بدأ استعمال الغاز الطبيعي للاغراض الصناعية و التجارية و المنزلية لتقليل الاعتماد على النفط المستورد - و من المتوقع استكمال خطة انتاج ١,٧ مليون طنا من حجر الجير و مليون طنا من الاسمنت و ١,٧ مليون طنا من الصخرة سنويا قريبا -

24

THE PEOPLE
LE PEUPLE
السكان

25

25-26 Mela (fair)
25-26 Cermesse
المعرض التقليدى 26–25

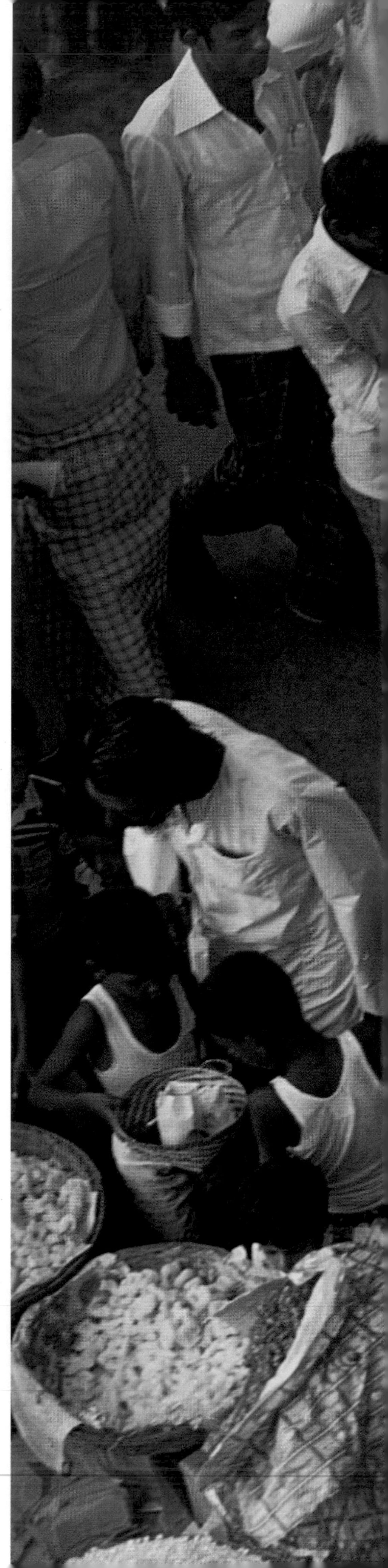

27

Habitat

Bangladesh is the world's second largest Muslim nation, with the Hindus, the Buddhists and the Christians constituting national minorities. They descended from several racial and subracial groups entering South Asia over the past 5,000 years. The people speak Bengali which is the state language and the medium of instruction. English is still widely used in government and commercial offices. Arabic is popular among the Muslims.

L'habitation

Bangladesh est la deuxième plus grande nation musulmane au monde avec une minorité d'hindous, de bouddhistes et de chrétiens. Ce peuple est décendant de plusieurs races et sous races qui ont pénétré le Sud Asie plus de 5000 de cela. La langue parlée et officielle est le Bengali qui est également la langue utilisée dans l'enseignement. L'Anglais est très largement utilisé dans le milieu gouvermental et commercial. L'Arabe est populaire parmi les musulmans.

الموطن

ان بنجلاديش هى ثانى اكبر دولة اسلامية فى العالم مع وجود الهندوكيين والبوذيين والمسيحيين كالاقليات الوطنية ويتحدرون من الاجناس المختلفة التى دخلت جنوب اسيا خلال ٥٠٠٠ سنة الماضية ويتكلم الشعب باللغة البنجالية التى هى لغة رسمية ووسيلة التعليم والتربية وتستعمل اللغة الانجليزية فى المكاتب الحكومية والتجارية - وان اللغة العربية محبوبة بين المسلمين -

28

27 A village
28 Urban housing

27 Un village
28 Logement urbain

27 قـــريـــة
28 الاســكان فى المـدينـة

29

Way of Life

The country's broad masses who live in some 68,000 villages are at times described as simple and inarticulate, but at the same time they are polite, courteous and hospitable. As poetry is said to be one of their passions, in view of the romantic landscape that constantly surround them, they are also occasionally emotional. Rice and fish curry constitute an important part of the Bangladeshi diet. The dress and costumes are extensively varied. A cotton lungi and a jersey are a common attire for men in the rural areas as opposed to shirts, trousers and pyjamas in the urban areas. Saree is women's universal dress. There are about a million tribal people the majority of whom live in Chittagong Hill Tracts district. The various tribes are culturally different from one another. They earn their living from agriculture, cottage craft and making indigenous cheroots.

La Mode de vie

La majorité de la population habitant dans quelques 68,000 villages est parfois décrite comme simple et docile et les habitants sont

30

31

polis, courtois et hospitaliers. Etant donné que la poésie fait partie intégrale dans leur vie et évoluant constamment dans un pays pittoresque, ils deviennent parfois sentimental.

La nourriture principale du Bangladesh est le riz et le Curry. L'habillement est très varié. Une vue communé dans les villages c'est de voir les gens en Lungi (linge en cotton enveloppé autour du rein et qui tombe jusqu'aux chevilles) et tricot contre le pantalon et la chemise des citadins. Les femmes portent le Sari.

La population tribale est d'environ de un million, la majorité vit dans les collines de Chittagong. Les cultures diffèrent de tribu en tribu. Ces gens là vivent de l'agriculture, de l'artisanat et ils fabriquent des manilles locales.

طريق الحياة

ان الجماهير العامة فى البلاد يسكنون فى ٦٨،٠٠٠ قرية وهم ساذجون وغير متصنعين فى معيشتهم وفى نفس الوقت فان الشعب ابن جلا ديشى هو لطيف وكريم و مضياف - يقال بان النظم هو هوايته فى ضوء كون المناظر خيالية التى تحيطونه دائما - واحيانا يصبح الشعب ايضا عاطفيا

ان الرز والسمك هما عاملان رئيسيان من الطعام للشعب تختلف ملابسه جدا - حيث ان سكان القرية يلبسون لونجى و قميصا بينما يلبس سكان المدن السروال والقميص الحديث - ولكن النساء تلبسن شارى - عادة - ويوجد هنالك ما يقترب من مليون نسمة من الاقليات القبائلية و معظمهم يسكنون فى تلال شيتا جونج وتختلف القبائل فى الثقافة والتقاليد ويكتسبون المعيشة من الزراعة والصناعة المنزلية وانتاج السجائر المحلية -

29, 30, 31 Urban life
32 Fishing in village
33 Tribal girls

29, 30, 31 La vie urbaine
32 La peche dans un village.
33 Filles tribales.

29, 30, 31 الحياة فى المدن
32 صيد الاسماك فى القرية
33 بنات القبائل

32

33

Religions

The four major religions are Islam, Hinduism, Buddhism and Christianity. The Muslims constitute about 85% of the population. The constitution of the country guarantees full freedom of religion. The government emphasises communal peace and harmony as a prerequisite to social and economic development in the country and the members of the minority communities are adequately represented in the government, trade, commerce and industries.

Les religions

Les quatre religions principales sont : L'Islam, l'Hindouisme, le Boudhisme et la Chrétienneté. L'Islam constitue environ 85% de la population. La constitution du Banglâdesh garantie la liberté de religion. Le Gouvernement prêche l'harmonie communale en tant que facteur nécessaire au developpement, social et économique du pays. La minorité est bien représentée dans tous les domaines : gouvernement, commerce et industries.

اَللّٰهُ

37

38

39

34 One of over 800 mosques of Dhaka
35 Kadam Rasul mosque, Narayanganj
36 Baitul Mukarram mosque, Dhaka

34 Une des 800 mosques de Dhaka
35 La mosquee "Kadam Rasul", a Narayanganj.
36 La mosque de "Baitul Mukarram" a Dhaka

34 احد من مساجد دكا البالغ عددها اكثر من ٨٠٠ مسجدا
35 مسجد قدم رسول في نرائن غنج
36 جامع بيت المكرم دكا

40

41

الاديان

ان الاديان الاربعة الرئيسية هى الاسلام والهندوكية والبوذية والمسيحية - ويشكل المسلمون حوال ٨٥٪ من السكان ويضمن دستور البلاد حرية الديانة كاملا وتوكد الحكومة على التالف و السلام الطائفى لكونه شرطا اساسيا للتنمية الاجتماعية والاقتصادية فى البلاد - واتخذت الخطوات الضرورية لضمان تمثيل الاقليات الدينية فى الحكومة والتجارة و الصناعة

37 A congregation at Baitul Mukarram mosque premises
38 An old mosque in Noakhali
39 Kantajir Mandir—an old Hindu temple
40 A church in Dhaka
41 A Buddhist Pagoda in Cox's Bazar

37 Une congregation dans la mosquee "Baitul Mukarram"
38 Une vielle mosquee situee dans la ville de Noakhali.
39 Kantajir Mandir—une vieille temple hindou.
40 Une eglise a Dhaka
41 Une pagode Bhuddiste a Cox's Bazar.

37 جماعة الصلوة فى حرم جامع بيت المكرم
38 مسجد قديم فى نواخالى
39 معبد كانتازير معبد قديم للهندوكين
40 كنيسة فى دكا
41 معبد بوذى فى كوكس بازار

HISTORY

In the ancient age, an Austro-Asian race first inhabited this area. Then came the Dravidians from Western India and later the Aryans from Central Asia to establish small settlements. There was also an influx of Mongolians and some Arabs, Persians, Turks and Afghans.

The Muslims who came to this region in early 13th century continued their rule till the advent of the British in the 18th century. The British ruled the subcontinent for about 200 years. While leaving in 1947, they partitioned it into India and Pakistan. Bangladesh formed the eastern wing of Pakistan until it was liberated on 16 December 1971.

Its association with Pakistan for nearly a quarter of a century can be truly regarded as neocolonialist in nature, with the rulers from West Pakistan always trying to systematically exploit its resources for the development of the western wing and keep it under their subjugation through brazenly undemocratic means. The people of Bangladesh who constituted about 56% of the population of Pakistan never accepted this dispensation and tried to resist it as best as they could. The resistance struggle, initiated through the historic language movement of 1952 by the Bengalees to secure their rightful place in Pakistan as its majority population, culminated in the nine-month War of Independence in 1971. It was one of the bloodiest liberation struggles in history. The price was heavy but the prize was priceless. The People's Republic of Bangladesh was born.

L'HISTOIRE

Dans le passé, cette région était habité, dans un premier temps par une race austro-asiatique.

43

42 Sonargaon—Ancient Capital
43 The interior of Shait Gumbad mosque at Bagerhat, Khulna
44 Paharpur

42 Sonargaon.—l'ancienne capitale
43 L'interieur de la Mosquee "Shait Gumbad a Bagerhat, Khulna.
44 Paharpur.

42 شونارغاوں - عاصمة قديمة
43 المنظر الداخلي لجامع ستين قبة في باغرهات - خلنا
44 بهاربور

44

Puis vinrent les dravidiens de l'Ouest de l'Inde et après les Aryens du Centre de l'Asie qui eux créérent des établissements sans importance. Les Moghols, Arabes, Perses, Turques et Afghans visitèrent aussi cette région.

Les musulmans qui s'implantèrent dès le début du 13e siècle continuèrent leur règne jusqu'à l'arrivée des britanniques au 18e siècle. Les britanniques règnerènt le sous-continent pendant deux cents ans. En quittant le sous-continent en 1947, ils le divisèrent en Inde et Pakistan. Le Bangladesh forma l'aile orientale du Pakistan jusqu'à sa libération le 16 décembre 1971.

L'association du Bangladesh avec le Pakistan pendant un quart de siècle peut être vraiment considérée en tant que néocolonialiste de nature, les dirigeants du Pakistan Occidental essayant systématiquement à exploiter les ressources du Bangladesh pour le développement de l'aile occidentale et garder ainsi l'aile orientale sous leur subjugation par des moyens non démocratiques. La population du Bangladesh qui constituait environ de 56% de la population totale du Pakistan, ne pouvait pas accepter cet état de chose et essaya par tous les moyens à résister à l'aile occidentale. Cette lutte qui eut ses débuts grace au mouvement de langue de 1952 mené par les Bengalais afin d'obtenir leur place légale dans le Pakistan en tant que population majoritaire, culmina dans la guerre de l'indépendance en 1971 et qui dura neuf mois. Ce fut une des luttes les plus sànglantes dans l'histoire. Les Bengalais ont payé durement mais la récolte est inestimable : la République du Bangladesh.

التاريخ

قد سكن جنس استرالى - اسيوى فى هذه المنطقة فى العصر القديم - ثم جاء درابيديان من الهند الغربية وبعد ذلك جاء الاريان من اسيا

45

46

المركزية لاقامة مستوطن صغير- وكان هناك تدفق للمغول و بعض العرب و الفارس والاتراك والافغان -

ان المسلمين جاءوا فى هذه المنطقة فى اوائل القرن الثالث عشر واستمروا فى حكمهم حتى قدوم البريطانيين فى القرن الثامن عشر قد حكم البريطانيون شبه القارة لحوالى ٢٠٠ سنة وقسموا شبه القارة ال باكستان والهند عند مغادرتهم فى ١٩٤٧م - وكانت بنجلاديش جزء اشرقيا لباكستان حتى تحريرها يوم ١٦ر ديسمبر ١٩٧١م ويمكن اعتبار مرافقة بنجلاديش مع باكستان لحوالى ربع القرن كالاستعمار الجديد فى النوعية -حيث ان حكام الباكستان الغربية حاولوا دائما استغلال ثرواتها لتنمية الجناح الغربي و جعلها تحت سيطرتهم بالطرق غير الديمقراطية

ان الشعب ابنجلاديشى الذى كان يشكل ٥٦٪ من سكان باكستان لم يقبل هذا النظام ابدا وحاول مقاومة ذلك فى شتى الطرق - وبدأت حركة المقاومة بواسطة حركة اللغة التاريخية للسنة ١٩٥٢ بهدف الحصول على المكانة المشروعه فى باكستان وتكبرت هذه الحركة فى النهاية فى حرب الاستقلال فى ١٩٧١م وكان ذلك نضالا دمويا- وكانت القيمة ثقيلة الا ان الجائزة ايضا كانت غالية جدا- وولدت جمهورية بنجلاديش الشعبية بهذا الطريق -

47

45 The Seven Dome mosque of the Mughal period at Dhaka
46 Ancient Arabic Calligraphy on black stone
47 Design Relief on black stone

45 Une mosquee a sept domes datant de la periode Moghul a Dhaka
46 Caligraphie arabe ancienne sur roche noire
47 Des dessins en relief sur roche noire

45 جامع سبع قبات لعهد موغلى فى دكا
46 المخطوطات العربية القديمة على الحجر الاسود
47 رسم النقش البارز على الحجر

CULTURE
LA CULTURE
الثقافة

Architecture

Factors of climate and geography and indigenous building materials such as timber and bamboo conditioned the development of architecture in Bangladesh. The predominantly brick tradition in architecture can be called its own.

Both the pre-Muslim temple and monastic architectures followed an indigenous style though strongly imbued with contemporary foreign pattern. The Mughals brought about a fundamental change by totally discarding the traditional terracotta art of the region and introduced the remarkable elements of dominant central dome and tall central entrance. The European renaissance style first appeared in churches in Dhaka and then was applied to secular buildings. At the turn of the 19th century a new hybrid Mughal and European style emerged. Modern architecture, characterised by the use of reinforced concrete for multistoried buildings with straight horizontal and vertical lines dominating the elevation, appeared after the partition of the subcontinent in 1947.

L'architecture

Le climat, la géographie et le matériel de construction disponible tel que le bois et le bambou ont affecté le développement de l'architecture au Bangladesh. La tradiction prédominante de briques dans l'architecture peut être considérée comme purement bengalaise.

Et les temples, avant l'arrivée de l'Islam, et les architectures monastiques, ont suivi un style indigène quoique influencé fortement par les dessins étrangers. Les Moghols apportèrent un changement radical en mettant de côté l'art terre-cuite traditionnel de la région en introduisant les élements remarquables du dôme central dominant et l'entrée centrale haute. L'art de la renaissance europeenne a fait son apparition dans les églises à Dhaka et ensuite cet art fat adopté dans la construction des maisons ordinaires. Vers la fin de 19 siècle un sytle Moghol et européen amalgamé fit son apparition. L'architecture moderne, avec ses lignes horizontales et verticales, caractérisée par son utilisation du ciment armé dans la construction de bâtiments à plusieurs étages, fit son apparition après la partition du sous-continent en 1947.

فن العمارة

قد حددت تنمية فن العمارة فى بنجلاديش عوامل الجو والجغرافية و مواد البناء المحلية مثل الخشب و الخيزران - ان غلبة تقليد القرميد فى فن العماره هو من تقاليدها القديمة -

تبع كل من الكنائس والمعابد القديمة اسلوبا محليا فى بناء عماراتها رغم كونها مصبوغة بالشكل الحديث الاجنبى - وقد طرقت الموغل فن التراكوتا المحلى و احدثت تغيرا اساسيا بادخال عوامل القبة المركزية السائدة والمدخل المركزى الطويل - وظهر اسلوب النهضة الاوروبية اولا فى الكنائس فى دكا ثم طبق ذلك فى المبانى العامة - وفى اوائل القرن التاسع عشر نشأ مولد جديد من الاسلوب الموغلى - الاوروبى - وجاء فن العمارة الحديث فى بنجلاديش بعد تقسيم الهند فى ١٩٤٧م ومن خصائصه بناء عمارة متعدده الادوار مع الخطوط العمودية والافقية فى الارتفاع -

51 A traditional embroidered quilt
52 Mosaiced wall of an ancient building, Sonargaon
53 The Lalbag Fort, Dhaka

51 Couverture brodee a la tradition locale.
52 Murs mosaiques d un batiment ancien, Sonargaon.
53 La forteresse de "Lalbag", Dhaka

51 لحاف مطرز تقليدى
52 جدار لعمارة قديمة فى شونارغاوں
53 حصن لالباغ ، دكا

57

57 The Kamalapur Railway Station, Dhaka
58 Sher-e-Bangla Nagar, Dhaka

57 La gare de Kamalapur, Dhaka
58 Quartier de Sher-e-Bangla, Dhaka

57 محطة السكك الحديدية فى كملابور دكا
58 شير بنجلانغر، دكا

58

59 A busy commercial area, Dhaka   59 Un quartier commercial, Dhaka   59 منطقة تجارية فى دكا

Literature

More than 95% of the people speak Bengali which originated from the Eastern Prakrit group of the Indo-Aryan family of languages. Early Bengali, in its lyrical form, originated in the 7th century. Its mediaeval period underlined a steady upsurge of poesy having strong devotional and romantic overtones. Since the early decades of this century, modern Bengali literature swept into the mainstream of world culture through the works of such geniuses as Michael Madhusudan Dutt, Rabindranath Tagore and rebel poet Kazi Nazrul Islam while poet Jasimuddin's austere lyrical anecdotes depicting rural life kept alive the link with the toiling masses. With this heritage to draw inspiration from, contemporary Bengali literature of Bangladesh has been throbbing with the creative impulses of a new generation of poets, novelists, playwrights and essayists.

La Littérature

Plus de 95% de la population parle le bengali qui est dérivé du groupe Prakrit Oriental de la famille des langues Indo-Aryenne. Le bengali sous sa forme lyrique eut son origine au 7è siècle. Sa période médiévale marqua une poussé vers la poésie que se caractirisa par des traits de dévotion et de romance. Au debut des premières décades de ce siècle, la littérature moderne bengali entra dans le courant de la culture mondiale à travers les ouvrages de génie tels que Michael Madhusudan Dutt, Rabindranath Tagore et le poète rebel Kazi Nazrul Islam, tandis que les anecdottes lyriques austères du poète Jasimuddin peignaient la vie rurale gardant ainsi le lien avec la masse laborieuse. Les jeunes d'aujourd'hui ayant à leur disposition un héritage pareil, la littérature contempora ine du Bangladesh se voit s'épanouir avec une nouvelle génération de poètes, novélistes, auteurs et essayistes.

الأدب

يتكلم اكثر من ٩٥ ٪ من سكان بنجلاديش باللغة البنغالية التى نشأت من مجموعة البراقريطية الشرقية من عائلة الهندية الارية للغات - وان شكل اللغة البنغالية القديمة بصورتها الغنائية ظهرت فى القرن السابع للسنة الميلادية وان مدتها القروسطية رسمت ارتفاعا راسخا للشعر مع النغمة الخيالية والشعبية ومنذ اوائل القرن الجارى دخلت ضاعة الادب البنغالية فى الاتجاه السائر للثقافة العالمية بواسطة أعمال الأذكياء كامثال ميكل مدوشورن دتا وربندرنات تاغور وشاعر ثائر قاضى نذر الاسلام بينما حافظت اشعار جسيم الدين على الاتصال مع الجماهير القارحة عن طريق تصوير الحياة الريفية فيها - ومع هذا التراث يرتجف الادب البنغالى المعاصر مع الرفع المبدع للجيل الجديد من الشعراء ومولفى القصص والمسرحيات والمقالات -

60 Shaheed Minar—Monument for the martyrs of the language movement of 1952
61 An old manuscript
62 Rebel Poet Kazi Nazrul Islam
63 Jasimuddin—the village poet

60 Shaheed Minar–Monument des Martyrs du mouvement de langue de 1952
61 Manuscript ancien.
62 Le poete rebel Kazi Nazrul Islam.
63 Jassimuddin—le poete du village.

63

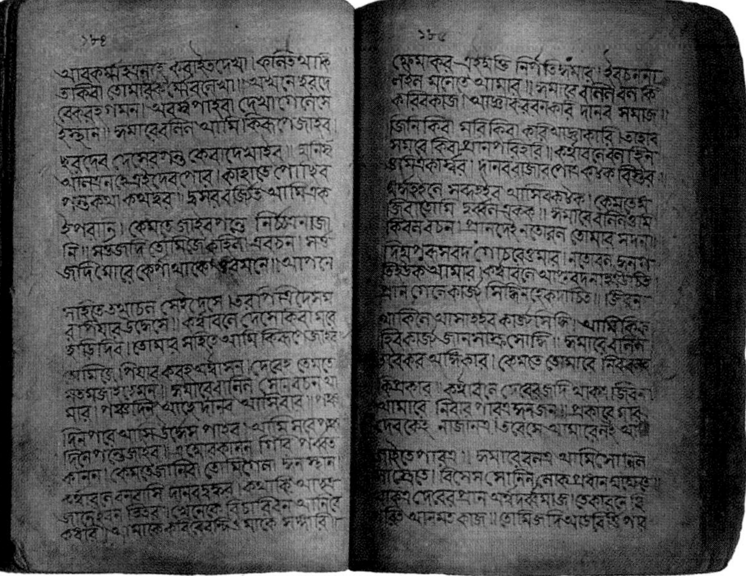

61

60 منار التذكار لشهداء حركة اللغة
61 مخطوطة قديمة
62 شاعر ثائر قاضى نذر الاسلام
63 جشيم الدين - شاعر القرية

Art

Bangladesh has a rich tradition of painting and terracotta art. Episodes from mythologies, legends, lovelores and, above all, nature's beauty found artistic expression in terracotta, pottery, clay dolls, handicraft and embroidery. Most of our modern painters are steeped in this tradition.

Modern Bangladesh painting was pioneered by such painters as Zainul Abedin, Quamrul Hasan, Anwarul Haq, Shafiuddin Ahmed and Shafiqul Amin. All of them sought and found their finest expressions in figurative works that drew spiritual nourishment from the soil and the toiling masses. Zainul Abedin became internationally known for his stunning sketches depicting the ravages of the Bengal famine of 1943.

The next generation of painters also upheld this tradition but their repertoire ranged from figurative to nonfigurative through a refreshingly captivating synthesis of the two. They were not detached from the mainstream of world painting either.

The 1971 War of Independence and the consequent ravages that the country and its people suffered, left deep impressions on both the old and young painters.

65

64 Painting : Zainul Abedin
65 Zainul Abedin

64 صورة زيتية - زين العابدين
65 زين العابدين

64 Peinture—Zainul Abedin.
65 Zainul Abedin.

66

67

66 Painting : Qamrul Hasan
67 The Academy for Arts and Crafts, Dhaka

66 Peinture—Qamrul Hasan.
67 L'Academie des Arts et Metiers, Dhaka

66 صورة زيتية: قمر الحسن
67 اكاديمية للفنون والحرفات، دكا

L'Art

Bangladesh a une riche tradition de peinture et dans l'art de terre cuite. Des épisodes de mythologie de légende et de ballade et surtout de la beauté de la nautre ont eu leur place dans les expressions artistiques en terre–cuite, poterie, poupées d'argile, artisanat et broderie. La majorité de nos peintres modernes aiment cette tradition.

La peinture moderne a pris son essort sous les peintres tels que : ZAINUL ABEDIN, QUAMRUL HASAN, ANWARUL HAQ, SHAFI-UDDIN AHMED et SHAFIQUL AMIN. Ils ont tous cherché et trouvé leurs plus belles expressions dans des travaux figuratifs que représentent la terre et les masses laborieuses. Zainul Abedin devint un peintre de réputation internationale par ses croquis illustrant les ravages de la famine de 1943.

La génération de peintres qui suivit après fit autant pour garder cette tradition mais leurs répertoires étalèrent sur des figuratifs aux non figuratifs faisant ainsi une mélange des deux.

La guerre de l'indépendance de 1971 et les ravages que le pays et ses habitants subirent, ont laissé des impressions profondes sur les jeunes aussi bien que sur les vieux.

الفنون الجميلة

يوجد فى بنجلاديش تقليد قديم للرسم وفن تراكوتا وقد سجل فنيا الابيزود من الاساطير والخرافات القديمة وقصص المحبة وفوق كل شئ جمال الطبيعة فى التراكوتا وصناعة الفخار ودمية الوحل والمصنوعات اليدويد والتطريز وان معظم رسامنا هم المغموسون فى هذا التقليد

ومن ممهدى السبيل للرسم ابنجلاديشى الحديث يمكن ذكر اسماء زين العابدين وقمر الحسن و انوار الحق وشفيع الدين احمد وشفيق امين وكل واحد منهم عبر عن عواطفهم فى الاعمال الرمزية التى جذبت الغذاء الروحى من التراب والجماهير القادحة واصبح زين العابدين مشهورا عالميا لمخططاته الساحرة التى ترسم تلف مجاعة البنغال فى ١٩٤٣م

و يحافظ الجيل القادم من الرسام ايضا على هذا التقليد و لكن ذخيرتهم تمتد من الرمزية ال غير الرمزية بواسطة التركيب المنعش والمفتن لكل منهما - وليوا ايضا بمنفصلين من الاتجاه السائد للرسم العالمى -

ان حرب الاستقلال فى ١٩٧١م واتلافها التى تعرض لها الشعب والبلاد قد تركت انطباعات عميقة على الرسام القدماء و المعاصرين -

68 Bangladesh College of Arts and Crafts, Dhaka
69 Inside the College of Arts and Crafts, Dhaka

68 Le College d'Arts et Metiers du Bangladesh, Dhaka
69 L'interieur du College d'arts et Metiers, Dhaka

68 كلية الفنون والحرفات بنجلاديش، دكا
69 المنظر الداخلى لكلية الفنون والحرفات، دكا

Music

The rich tradition of music of Bangladesh can be divided into three distinct categories-classical, folk and modern. The tradition of classical music, whether vocal or instrumental, is rooted in the history of this subcontinent. Internationally known sarod players, Ustad Alauddin Khan and Ustad Ayet Ali Khan hailed from Bangladesh.

Folk music, nurtured through the ages by village bards, is the most popular form of music in Bangladesh. Rich in devotional mysticism and lovelores, folk music exudes authentic flavour and charm of the soil. The best known forms are bhatiali, baul, marfati, murshidi, bhawaiya and gambhira. Some of the greatest exponents of our mystic and devotional songs were Lalan Fakir, Hasan Raja and Abbasuddin Ahmed.

Modern Bengali music originated from two distinct schools. The first is essentially a blend of East and West initiated by Rabindranath Tagore; the second, experimented with the synthesis of classical, folk and Middle Eastern strains, was spearheaded by rebel poet Kazi Nazrul Islam. The contemporary adherents of both the schools have been widening their depth and vista with new experiments.

La Musique

La riche musique du Bangladesh peut être classée en trois catégories distinctes : classique, folklorique et moderne. La musique classique, vocale ou instrumentale, est une musique qu'on trouve seulement dans le sous-continent. Des musiciens de SAROD de réputation internationale tels que : Ustad Alauddin Khan et Ustad Ayet Ali Khan sont nés au Bangladesh.

Ce sont les poètes des villages, à travers les âges, qui ont contribué à faire connaître et apprécier la musique folklorique. Cette musique est aujourd'hui la musique la plus populaire du Bangladesh. Riche en thème de dévotion, de mysticisme et d'amour, la musique folklorique chante les chansons de la terre et du peuple. Bhatiali, Baul, Marfati, Murshidi, Bhaoaiya, et Gambhira sont des noms connus dans la musique folklorique et des chanteurs telsque : Lalan Fakir, Hasan Raja et Abbasuddin Ahmed sont devenus célèbres dans la musique folklorique.

Deux différentes écoles sont à l'origine de la musique moderne bengali. La première est essentiellement une mélange de l'Est et de l'Oeust ayant Rabindranath Tagore comme l'initiateur et la deuxième, amalgama la musique classique avec la musique folklorique et avec la musique du Moyen Orient ayant le pöete

Kazi Nazrul Islam comme initiateur. Les nouveaux venus de ces deux écoles ont élargi leur champs d'action et la musique de ces deux écoles deviennent de plus en plus absorbante.

فن الموسيقى

يمكن تقسيم التقليد الغنى للموسيقى بنجلاديش فى ثلاثة انواع - التقليدى والشعبى والحديث وقد اسس اصل الموسيقى التقليدى صوتيا كان او بالالة فى تاريخ شبه القارة - وان كلا من الاستاذ علاء الدين خان والاستاذ ايات على خان معروف دوليا للعب السرور هو من مواليد بنجلاديش -

وان الموسيقى الشعبى الذى لايزال يربى عبر العصور بشعراء الارياف هو محبوب جدا فى بنجلاديش و يتحلب الموسيقى الشعبى نكهة و زينة التراب بالاضافة الى كونه غنيا فى التعبد و قصص المحبة ومن اشهر اشكاله باتيالى و باول و معرفتى ومرشدى و باوئيا وغمبيرا و من اكبر الشعرا للموسيقى الشعبى لالن فقير و حسن راجا و عباس الدين احمد قد نشأ الموسيقى للبنجال الحديث من مدرستين مختلفتين ان المدرسة الاولى هى مزيج الشرق و الغرب المؤسس على طرز ربندرنات تاغور والثانية هى تاليف الموسيقى التقليدى والشعبى و لحن الشرق الاوسط و انشأ ذلك شاعر ثائر قاضى نذر الاسلام وان ملتحمى المدرستين المعاصرين يوسعون عمقهم وانقهم مع الاختبار الجديد

70 Rural musical soiree
71 Kavigan—the duel between two poets
72 Sarod players— Abed Hossain Khan and Shahadat Hossain Khan

70 Une soiree musicale rurale.
71 Kavigan—Le duel entre deux poetes.
72 Joueurs du "Sarod"— Abed Hossain Khan et Shahadat Hossain Khan

70 سهرة الموسيقى الريفى
71 كبى غان - المناقشه بين شاعرين من الارياف
72 لاعب سرود - عابد حسين خان و شهادة حسين خان

Dance

Dancing in Bangladesh draws freely on the subcontinental classical forms as well as the folk, tribal, ballet and Middle Eastern strains. Of the tribal dances, particularly popular are Manipuri and Santal. The Bulbul Academy of Fine Arts (BAFA), set up in Dhaka in the early fifties, played a pioneering role in the promotion of dancing in the country. The Academy of Performing Arts in Dhaka and a number of cultural organisations are also responsible for popularising this art.

La Danse

La dance au Bangladesh s'est adaptéé librement à toutes les formes : classique, folklorique, tribale, ballet et les formes de la dance du Moyen Orient. Des danses tribales : Manipuri et Santal sont populaires. L'Académie de "Bulbul Academy of Fine Arts" (BAFA), établie à Dhaka au début de 1950 a jouéun role important dans la promotion de la dance. D'autres organisations culturelles et l'Académie de "Académy of Performing Arts" à Dhaka, sont responsables à promouvoir la dance dans le pays.

73 A renowned dancer : Laila Hasan

73 Une danseuse de renom : Laila Hasan.

73 راقصة شهيرة - ليلى حسن

Le Théâtre

Le théâtre est plus que centenaire au Bangladesh. Dans le temps, à chaque fois qu'il y avait une ête foraine des performances en pleine air, connues sous le nom de "JATRA" (opérette rurale) étaient jouées. Leurs thèmes tirés des histoires d' amour, des faits historiques ou des prouesses légendaires des mytologies, des anecdotes et des contes de mille et une nuits font les délices des foules jusqu'aujourd'hui.

Dans les villes, le théâtre moderne et le "JATRA" sont encore populaires. Si ce n'est pas dans sa forme mais au moins dans sa contenue thêmatique que les auteurs du Bangladesh ont réussi à forger un caractère distinctif dans leurs spectacles. Mais une activité accélérée s'est décernée après la guerre de l'independance de 1971, afin de moderniser le théâtre et effectuer des changements dans les formes d'expression, Des jeunes ont pris cette initiative et ils ont déjà pris inspiration sur des pièces d'autres pays pour améliorer les leurs. Ils ont commencé à reécrire leurs pièces avec une autre zèle pour satisfaire les goûts changeants des spectateurs. Cette action a pu changer les amateurs en professionnels.

المسرحية

ان تقليد المسرح لبنجلاديش قديم جدا - و كان هناك تقليد القيام باعمال التمثيل على منبر المعروف باسم جاترا فى الارياف منذ العصور القديمة وكان موضوع هذاالمسرحيات الشعبية قصص المحبة الشعبية - واعمال تاريخية بسالته الابطال ضد القوى المعتدية والحكايات الميتولوجية والقصص العربية والفارسية و هى وسيلة التسلية الشعبية فى الارياف حتى الآن -

وبالاضافة الى جاترا اخذت المسرحية الحديثة ايضا تنمو فى المدن - و نجحت المسرحية البنجلاديشية فى اقامة ميزة خاصة للمسرحيات المحلية فى المضمون ولو لم يكن ذلك فى الشكل و لكن بدأت الاعمال المكثفة للمسرحية فى البلاد بعد حرب الاستقلال للسنة ١٩٧١م فحاولت جماعة من الشباب لتعصير شكل ومضمون المسرحية البنجلاديشية حديثا -

و ان التكييف من المسرحيات الغربية و تاليف المسرحيات الاصلية نجحت فى خلق جماعة من المشاهدين فى دكا و فى كل مدينة فى بنجلاديش على امتداد مساحتها اقيم الان مسرح - وخلال السنوات الماضية شهدت خشبات هذه المسارح انجازات مهمة لاقت اقبالا كانت تستحقه

Cinema

Even though the cinema has always been a highly popular form of mass entertainment, it was not until 1956 that the first full length feature film could be produced in Bangladesh. The foundation of the film industry was, however, laid three years later when a full-fledged film studio under Film Development Corporation was set up by the government. At present, the industry is capable of producing about 45 feature films a year. To encourage quality film making, the government has instituted cash grants and film awards and set up a Film Archive. A modern film laboratory complex under the Department of Films and Publications has been established by the government recently, which is sure to play an important role in the development of film making.

Le Cinéma

Quoique le cinéma a été toujours très apprécié ce ne fut qu'en 1956 que le pays vit naître son premier film de long métrage. Un studio fut construit trois ans après et le gouvernement établit une corporation de développement de films (Film Development Corporation).

Actuellement cette industrie est capable de produire 45 films de long métrage par an. Dans le but d'encourager la production de films de qualité, le gouvernement verse des contributions et institue des récompenses pour les meilleurs dans l'industrie du film et a établi une archive de films.

Une laboratoire moderne de films sous les auspices du Département de Films et de Publications a été étable par le gouvernement récemment dont le rôle sera de veiller au développement de l'industrie du film.

93

92 Route March Army 92 L'armée paradant les rues 92 السير الطليق - القوات البرية
93 Air Force 93 L'armée de l'air 93 السير الطليق. القوات الجوية

94

94 Route March the Navy
95 Frigate of the Navy
96 Metropolitan Police
97 Women Police

94 La marine paradant les rues
95 Une frégate de la marine
96 La Police Métropolitaine
97 La Force Policière féminine

94 السير الطليق - القوات البحرية
95 اسطول البحر البحرية
96 رجال الشرطة المدنية
97 الشرطة من السيدات

95

96

97

9

ECONOMY
L'ECONOMIE
الاقتصاد

المساحة لزراعة القمح سوف تزداد الى مليون
اكر بينما يكون انتاجه ١/٦ مليون طنا ، و
بارتفاع انتاج القمح فان النقص فى الغذاء
سوف يزال وان البلاد سوف يكون فائضا
فى ١٩٨٥م

ان بنجلاديش تعد اكبر المنتجات للجوت فى
العالم التى تنتج احسن انواع الجوت فى
جميع انحاء المعمورة - و هدف انتاج
الجوت حتى ٨٤-١٩٨٥م هو ٦،٥ مليون بالا
مقابل انتاج ٥،٤ مليون بالا حاليا - وتوجد
هناك ٧٧ مصنع الجوت فى البلاد -

و ينتج الشائ فى المناطق الجبلية لمحافظة
سلهت و شيتاجونج و تبلغ عدد
حديقة، الشائ ١٥١ حديقة ، التى
تنتج ٨٠ مليون باوندا من الشائ
كل سنة

و بدأت بنجلاديش تنتج القطن الامريكى
وتم تخصيص ١٩،٠٠٠ اكر فى ٨٠-١٩٨١ لزراعة
القطن -

و تنتج فى البلاد ايضا كميات كثيره للعرس
وقصب السكر والتبغ والبطاطا والفواكه
المتنوعة والخضروات -

ومن المتوقع بان انتاج المواد الغذائية سوف
يصل الى ٢٠ مليون طنا خلال السنوات الخمسة
الاتية مقابل الانتاج الحالى ب ١٣ مليون طنا
وسوف لايكون انتاج الغذاء اقل من ١٨ مليون
طنا حتى فى الجو غير الملائم - و يعنى ذلك
نسبة النمو السنوية للغذاء بحساب ٦،٥٪
مقابل نسبة النمو الحالية اقل من ٢٪

122

121

123

خلال العهود الثلاثة الماضية -
وخصص حوالى ٥١،٠٠٠ مليون تاكا المعادل ل
٣/٤ مليون دولار امريكى للاستثمار فى القطاع
الزراعى خلال السنوات الخمسة الاتية -

124

119 Ghorasal fertilizer factory
120 A food silo
121 Irrigation by solar energy
122 Rice husking in traditional manner
123 Locally manufactured power tiller
124 The indigenous method still in use for irrigation

119 L'usine d'engrais de Ghorasal
120 Un silo de graines
121 L'irrigation par l'énergie solaire
122 Déconcassage de riz facon traditionnelle
123 Une machine mécanique à labourer
124 Les méthodes locales d'irrigation
la terre manufacturée localement

119 مصنع غوراشال للاسمدة
120 سلوة الغذاء
121 الرى بالطاقة الشمسية
122 قشر الرز بالطريق التقليدى
123 الحارث الميكانيكى المصنوع محليا
124 طريقة محلية للرى

Industry

The industrial sector contributes 8.9% to GDP and accounts for 70%of foreign exchange earnings. Large and medium industries employ about 650,000 persons while small and cottage industries employ around 5 million people.

The jute industry plays a dominant role in the economy of Bangladesh. There are 27,000 installed jute looms spread over 68 units. The products consist of sacking, hessian and carpet backing. Five jute carpet mills have started production and two more are expected to go into production soon.

The textile industry has an installed capacity of 10,57,460 spindles. By 1985, another 4,25,000 spindles would be added almost entirely in the private sector. The handloom sector accounts for about 80% of locally made cloth.

Bangladesh now produces 8,80,000 tons of urea in the existing three fertilizer plants. Three more urea manufacturing plants are planned to be set up by 1985. Bangladesh is already in a position to export urea.

The present installed capacity of the sugar industry is 162,000 tons a year. It is proposed to be raised to 210,000 tons by 1985. The country has attained self-sufficiency in sugar production.

The steel mill producing around 110,000 tons of ingots annualy is based on imported scrap and pig iron. The oil refinery at Chittagong can process 1.3 million tons of crude oil. About 350,000 tons of cement is produced annually with imported clinker and limestone. Bangladesh is self-sufficient in paper and newsprint. New units of paper and Pulp mills based on jute cuttings is being planned. Machine tools

and electrical manufacturing plants have recently been installed. Production of various types of machine tools and electrical transformers are in hand. Agricultural pumps and engines are being manufactured in both public and private sectors. Tanneries, pharmaceuticals and cigarette industries are well developed.

Some of the public sector corporations which incurred heavy loss in the past are now making profits. The present industrial policy, however is aimed at giving maximum facilities for development of the private sector and attracting foreign investment.

By 1985, the terminal year of the current Second Five-Year Plan, the industrial sector's contribution to GDP is expected to go up to 10.9%.

Les Industries

La section industrielle contribue 8,9 % de la GDP et son pourcentage en devise éntrangère représente 70%. Les gandes industries emploient environ 650.000 personnes tandis que les petites et les industries de l'artisanat emploient environ 5 millions.

L'industrie du jute joue un role important dans l'économie du pays. Il y a 27.000 métiers dans 68 usines. Les produits sont : sacs, toile d'emballage, toile de renfort pour tapis.

Il y a cinq usine de tapis de jute qui ont

commencé à fabriquer des tapis et deux autres seront bitntôt mises en production.

L'industrie de textile a une capacipé de 1.057.560 fuseaux. D'ici 1985 ce nombre sera augmenté de 425,000 fuseaux, tons dans le secteaur prive. 80 % de tissus fabriqué est fabriqué par des metiers manuels.

Le Bangladesh produit actuellement 880.000 tonnes d'urée en provenance de ses trois usines. D'ici 1985 on aura trois autres usines. Le Bangladesh est déjà en position d'exporter de l'urée.

La capacité de l'industrie sucrière est de 162.000 tonnes par an. Vers 1985 ce chiffre atteindra 210.000 tonnes. Le Bangladesh se suffit en sucre.

L'industrie d'acier est de 110.000 tonnes d'ingots par an. La raffinerie de pétrole à Chittagong peut raffiner 1,3 million de tonnes de pétrole brut. Environ 350.000 tonnes de ciment sont produits par an. Le Bangladesh se suffit en papier et en papier à journal. On contemple également de produire du papier à partir de jute. Des usines de machines outils et des usines produisant des accessoires électriques viennent d'être installées. On produit dono différentes types de machines outils et des transformateurs électriques. Les pompes pour l'agriculture et des moteurs agricoles sont également manufacturés dans le secteur privé aussi bien que dans le secte-ur public. La fabrication de cuir et de peau, l'industrie pharmaceutique et l'industrie de cigarette sont développeés. Les industries nationalisées qui perdaient commencent à montrer des profits. La politiques du gouvernement est de pousser l'industrie en avant. D'ici 1985, fin du deuxième plan quinquennal, on compte augmenter de 10% la capacité industrielle.

الصناعة

يساهم قطاع - الصناعة ٨٫٨٪ الى الناتج الاجمالى المحلى و تشكل ٧٠٪ من المكتسبات للعملات الاجنبية - و تستخدم الصناعة الكبيرة و المتوسطة ، حوالى ٦٥٠٫٠٠٠ شخصا بينما تستخدم الصناعة الصغيره و الصناعة المنزلية ما يقترب الى ٥ مليون افراد -

و تلعب صناعة الجوت دورا غالبا فى اقتصاد بنجلاديش و توجد هناك حوالى ٢٧٫٠٠٠ نولا ترنيا فى ٧٠ وحدة جميعها تحت القطاع العام وتتكون منتجات الجوت من الخيشى و الهسى وظهارة السجاد و بدات خمسه مصانع السجاد الانتاج و من المتوقع بداية الانتاج فى مصنعين للسجاد قريبا -

و تقع صناعة النسيج ايضا تحت القطاع العام - و توجد كفاءة ترنية لحوالى ١٠٥٧٫٤٣٠ مغزالا فى هذه الصناعة - و سيتم اضافة ٤٢٥٠٠٠ مغزالا حتى نهاية ١٩٨٥م فى القطاع الخاص و يشكل قطاع النول اليدوى ٨٠ ٪ من المنتجات المصنوعة محليا -

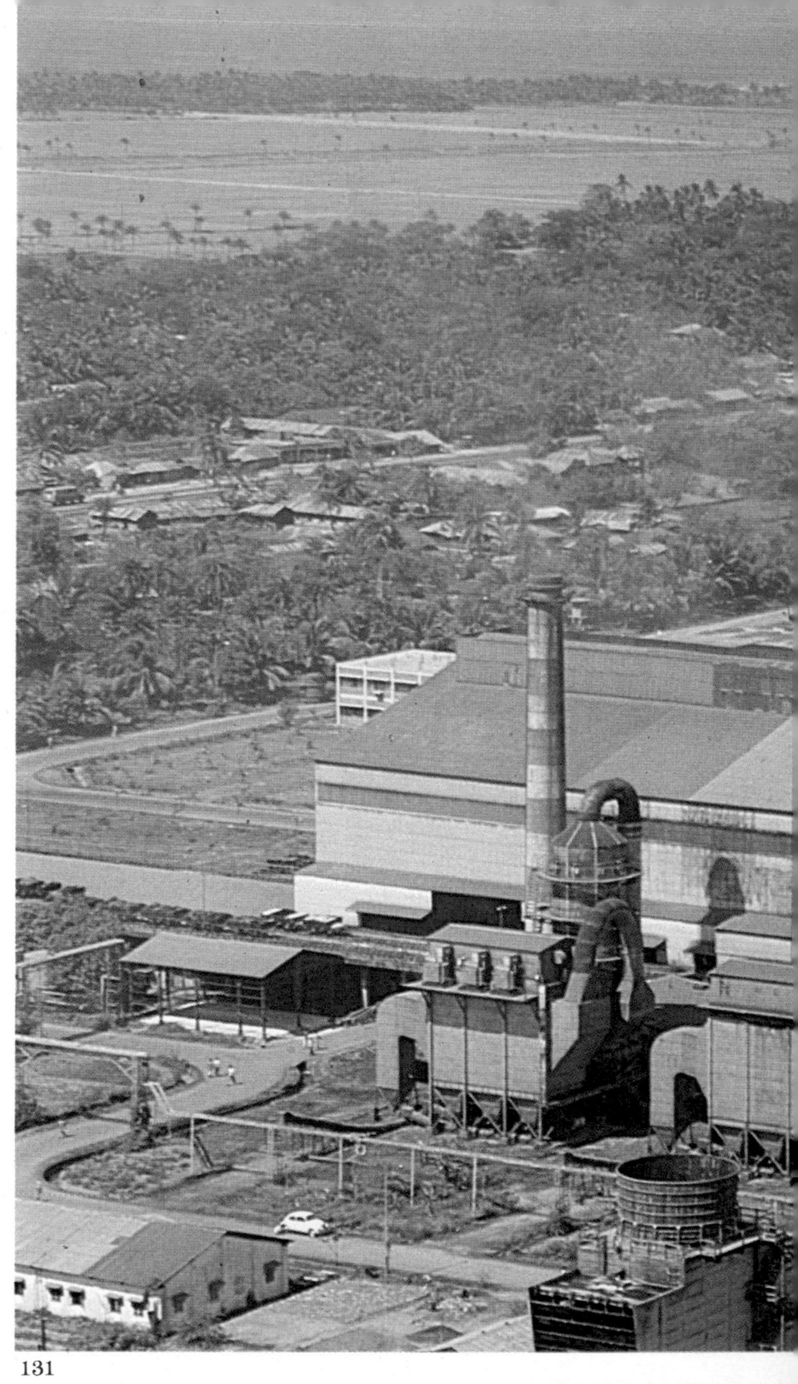

131

130

126 A jute mill
127 Inside a jute mill
128 129 A modern jute carpet factory
130 131 The steel mill, Chittagong

126 Une usine de jute
127 L'intérieur d'une usine de jute
128 129 Une usine de fabrication de tapis de jute
130 131 L'usine d'acier, Chittagong

126 مصنع الجوت
127 منظر داخلي لمصنع الجوت
128 129 مصنع سجاد الجوت
130 131 مصنع الصلب شيتاجونج.

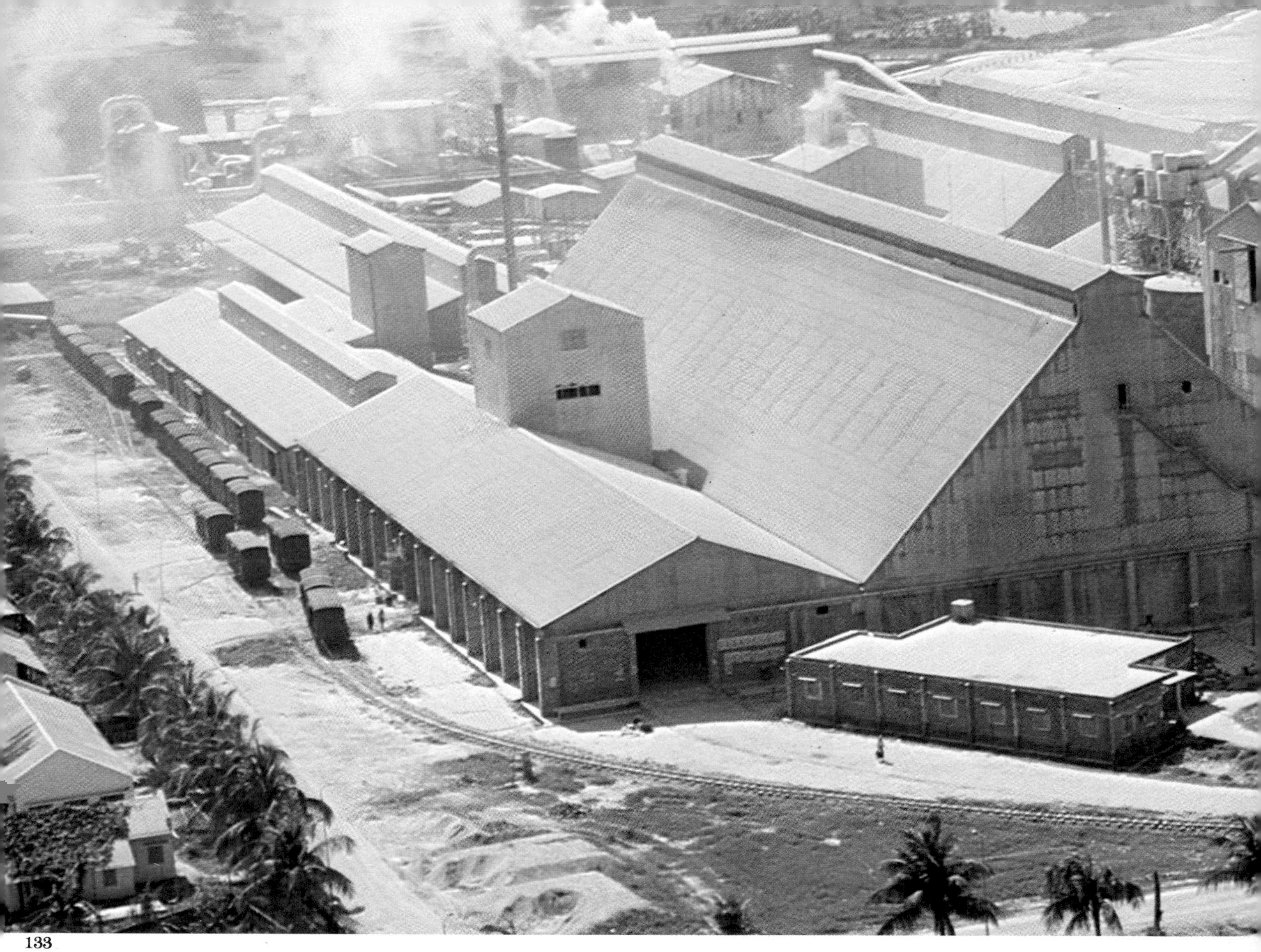

133

134

135

136

132 Inside railway workshop

132 L'intérieur d'un atelier de chemin de fer

132 منظر داخل ورشة السكك الحديدية

137

138

133, 134, 135 TSP plant, Chittagong
136 Eastern Refirnery, Chittagong
137 The Karnaphuli Complex, Chittagong Hill Tracts
138 Machine Tools factory, Dhaka
139 Inside GEM plant, Chittagong

133, 134, 135 TSP Chittagong
136 La raffinerie de Chittagong (Eastern Refinery)
137 Le complexe de Karnaphuli de Chittagong Hills Tracts
138 L'usine de machines outils. Dhaka
139 L'intérieur de l'usine GEM, Chittagong

133 ,134 ,135 مصنع اسمدة ت س ب شيتاجونج
136 مصفاة الشرق ، شيتاجونج
137 مركب كرنابولي ، تلال شيتا جونج
138 مصنع معدات والالات - داكا
139 منظر داخلي لمصنع ج ي م شيتاجونج

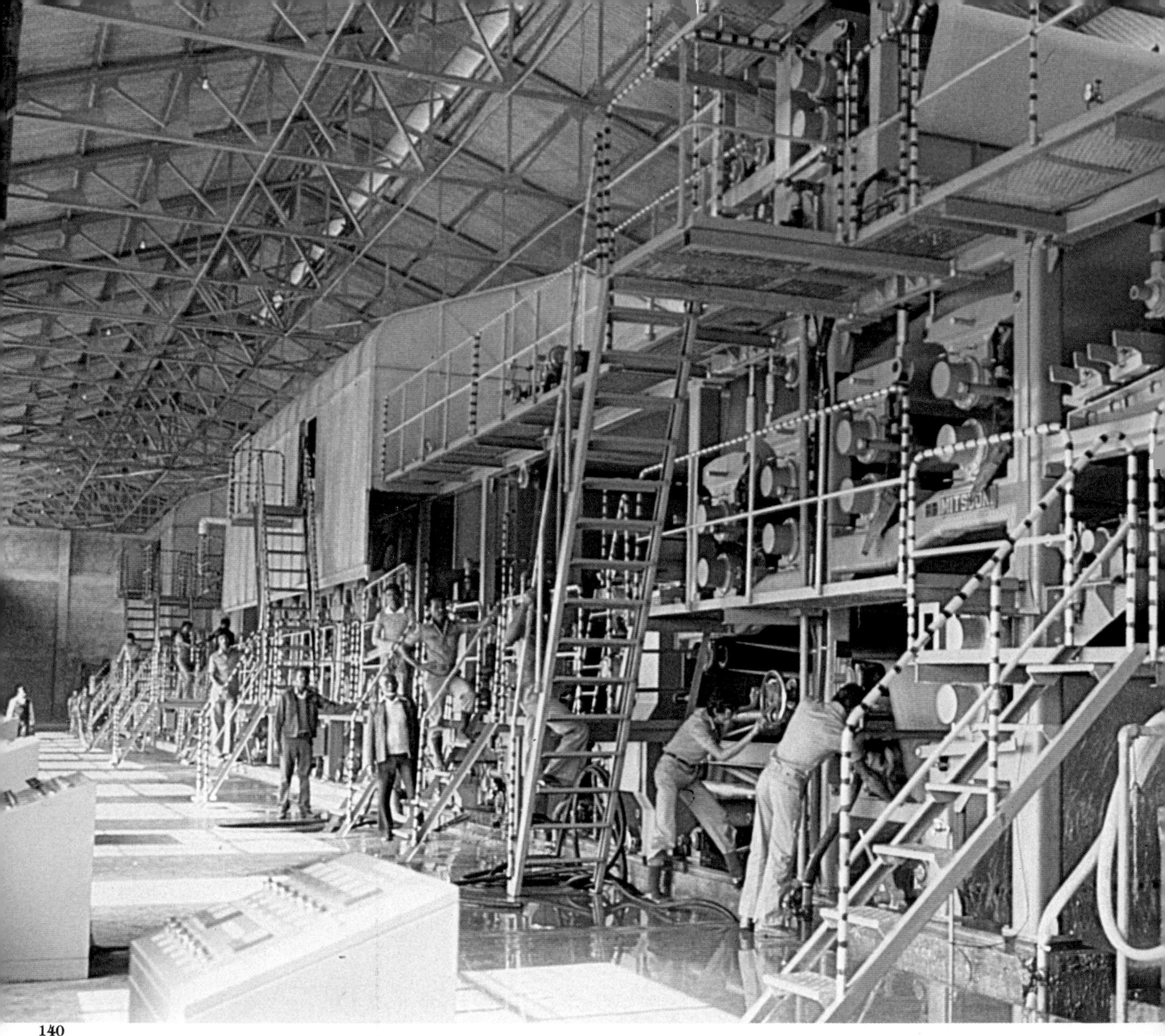

وتنتج بنجلاديش ٨٨٠,٠٠٠ طنا من يوريا في مصانع السماد الثلاثة الموجودة في البلاد. وخطط اقامة ثلاثة مصانع يوريا حتى نهاية السنة ١٩٨٥م.

وان قدرة انتاج السكر الحالية هي ١٦٠,٤٠٠٠ طنا سنويا. وسوف تزداد هذه القدرة الى ٢١٠٠٠٠ طنا في ١٩٨٥م

ينتج مصنع الصلب حوالي ١١٠,٠٠٠ طنا من الصبة سنويا على اساس استعمال الحديد الخام المستورد. وان مصفاة النفط في شيتاجونج قادرة على تكرير ١,٣ مليون طنا من النفط وينتج حوالي ٣٥٠,٠٠٠ طنا من الاسمنت سنويا من الحجر الجير وكلينكار المستوروان وبنجلاديش مكتفئة بالذات في الورق والورق الصحفي وتم انشاء مصانع انتاج المعدات والمواد الكهربائية حاليا وتنتج مضخات ومحركات

141

142

143

149

وتوجد
ادوية و
متوقع بان
ح الاجمالى
١٩م - وسياسة
المزيد

144

150

151

149 Inside the Karnaphuli paper mills
150 News print mill, Khulna
151 Food silo. Chittagong port

149 Vue à l'intérieur de l'usine de papier de Karnaphuli
150 Usine de papier à journal, Khulna
151 Silo de graines, port de Chittagong

149 داخل مصانع كرنابولي للورق
150 مصنع الورق الصحفي. خلنا
151 سلوة الغذاء. شيتاجونج

152 Fenchugonj Fertilizer factory, Sylhet
153 Inside modern shoe factory
154 Pragati Automobile Assembling plant
155 Motorcycle Assembling plant, Dhaka

152 L'usine d'engrais de Fenchuganj. Sylhet
153 A l'intérieur d'une usine fabriquant des chaussures
154 Progoti, usine pour assembler les automobiles
155 Une usine pour assembler les motos Dhaka

152 مصنع فنجوغنج للاسمدة - سلهت
153 داخل مصنع الاحذية الحديث
154 بروغتى - مصنع تجميع السيارات - شيتاجونج
155 مصنع تجميع الدراجات النارية - تونجى

153

154

155

157

158

159

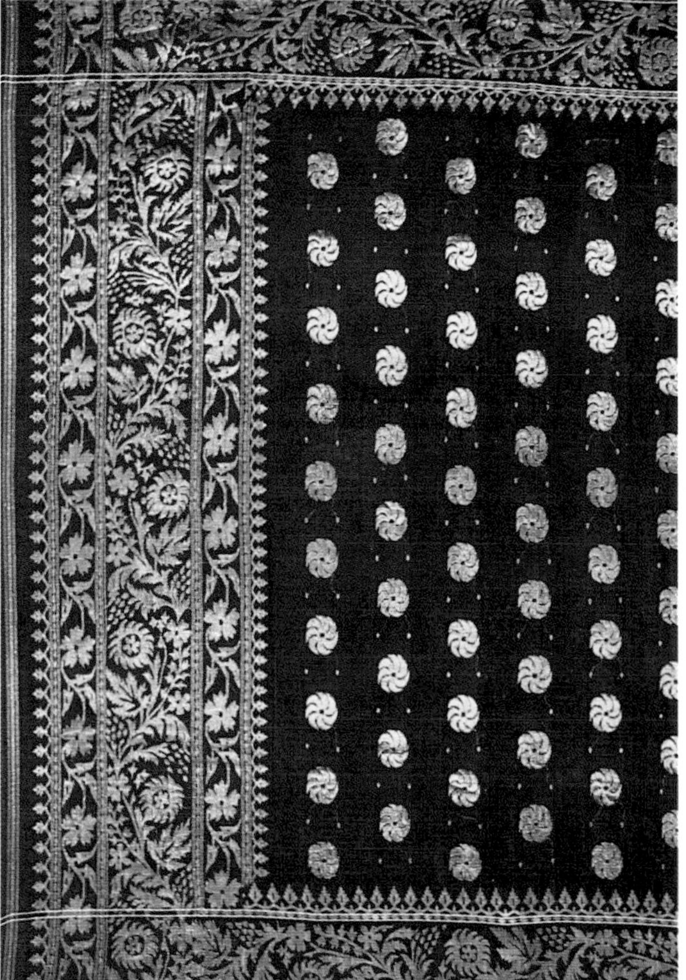

160

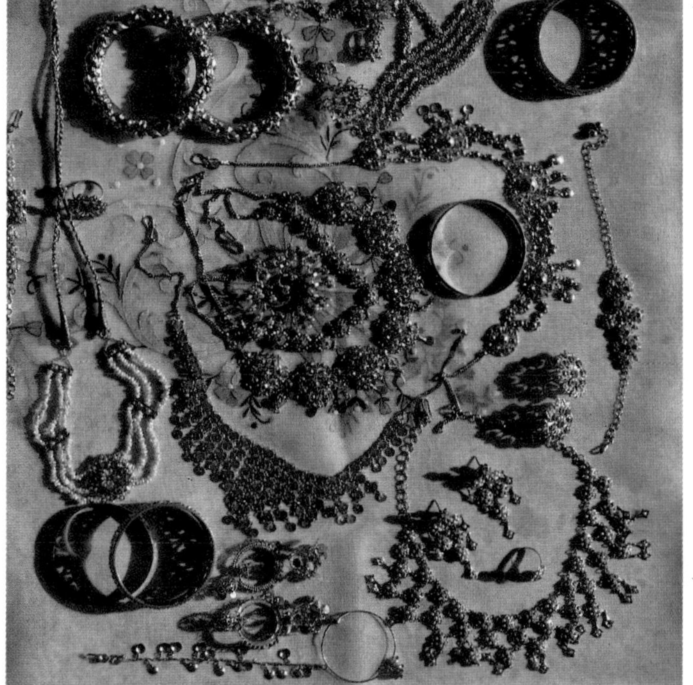

١٥٠٠٠ مليون تاكا.

وكانت قيمة الصادرات في ١٩٨٠-١٩٨١م حوالي ١١،٦٠٠ مليون تاكا وفي ٨١-١٩٨٢م حوالي ١٣،٠٠٠ مليون تاكا وكانت قيمة الواردات حوالي ٣٠،٥٧٨ مليون تاكا في ٧٩-١٩٨٠م و ٣١،٢٦٦ مليون تاكا في ٨٠-١٩٨١م و ٤٧،٧٨٠ مليون تاكا في ٨١-١٩٨٢م

206 miles de routes ont été construites durant 1980—81. On a alloué 1650 millions taka en vue de développer et de maintenir ces routes dans de bonnes conditions. De cette somme 400 millions seront utilisés pour améliorer les communication entre les "Thanas" qui viennent d'être créés.

TRANSPORT ROUTIER

Le transport routier est en majorité dans le secteur privé quoique la plus grande organisation routière est dans le secteur public avec 347 bus et 184 camions. Ses réseaux couvrent presque tout le pays. Cette corporation transporte plus de 100.000 passagers par jour et plusieurs milliers de tonnes de cargo par mois. Le système de transport routier ne fait qu'augmenter et s'améliorer.

LA MARCHANDE

Le "Bangladesh Shipping Corporation" détient 25 navires d'un tonnage de 371.592 TMP. Ces navires ont transporté plus de 1,7 million de tonnes de cargo/Pétrole en 1979—80 et leurs revenus se sont chiffrés à Tk. 1096 millions. La compagnie a donc transporté 17,75% de la totalité : import-export — du Bangladesh.

TELECOMMUNICATION

La télécommunication jour un role important dans le développment général du pays. Pour les appels de longue distance et pour les émissions de la télévision, on a installé des liens de hyperfréquence entre tous les districts du pays.

La station terrienne a Bedbunia, tout près de Chittagong sert de lien avec le monde exterieur y compris les échanges des programmes télévisés. Une autre station à Talibabad(Dhaka) standard "B" a été mise en action.

Des facilités de télex, tant domestique qu-'internationale, existent dans toutes les grandes

170

171

167 Sea port, Chittagong
168 Bangladesh railway
169 Kalurghat railway and road bridge
170 Kanchpur bridge, Dhaka
171 A river ferry

167 Le port maritime, Chittagong
168 Le chemin de fer du Bangladesh
169 Pont de chemin de fer de Kalurghat
170 Le pont Kanchpur, Dhaka
171 Un ferry de rivière

167 ميناء البحر - شيتاجونج
168 السكك الحديدية بنجلاديش
169 جسر كالورغات للسكك الحديدية
170 جسر كنجبور - داكا
171 معبر النهر

EDUCATION AND SOCIAL DEVELOPMENT
L'EDUCATION ET LE DEVELOPPEMENT
التعليم والتنمية الاجتماعية

179

180

Education

There are 43,937 primary schools in Bangladesh with 8.24 million enrolment and 188,243 teachers. 8960 secondary schools have 1.96 million students and 98,388 teachers. Colleges offering general education are 688 in number with 259,446 students. The number of Technical colleges and Vocational Institutes is 114. There are 7 universities including one for agriculture, one for engineering and technology and another for Islamic education and research. Enrolment in these universities is 36,530 and the number of teachers is 2,421. There are 8 medical colleges, a dental college, a college of nursing and an institute of post-graduate medicine and research, besides 4 other specialised medical institutes. There are 2,657 Madrashas providing Islamic education including science and arts subjects. Educational reforms introduced recently include adoption of a single curriculum by all the Education Boards, quick publication of results, benefits to teachers, and revision of text books. The new educational policy lays emphasis on technical and job oriented education.

L'Education

Il y a 43.937 écoles primaires au Bangladesh avec 8,24 millions d'inscrits et 188,243 instituteurs; 8960 écoles secondaires avec 1,96 millions d'étudiants et98.388 professeurs. Il y a également 688 collèges avec 259.446 étudiants; 114 collèges techniques et instituts d'enseignement professionnel; 7 universités dont 1 agriculture, 1 ingéniérie et technologie et il y a aussi des institutions d'éducation et de recherches islamiques. Les universités comptent 36.530 étudiants et 2.421 professeurs. Il y a 8 collèges médicaux, 1 collège pour l'art dentaire, 1 collège pour former les infirmiers et 1 institut pour les médecins qui veulent approfondir leurs connaissances en médicine et effectuer des recherches et en plus 4 instituts qui spécialisent dans des médicines spécifiques. Il y a 2657 écoles qui enseignent l'éducation religieuse aussi bien que des matières en science et en art. Des réformes récentes ont préconisé un système unique de programmes d'études dans toutes les institutions d'éducation. les livres de classe seront refaits. les enseignants auront plus de facilités. L'orientation du nouveau système d'éducation est vers les sciences et les technologies.

التعليم

توجد فى بنجلاديش حوالى ٤٣٩٣٧ مدرسة ابتدائية ويبلغ عدد طلابها تقريبا ٨,٢٤ مليون طالبا و طالبة بينما يبلغ عدد المدرسين للمدارس الابتدائية ١٨٨,٢٤٣ مدرسا وتوجد هناك ٨٩٦٠ مدرسة ثانوية مع ١,٩٦ مليون طالبا وطالبة و ٩٨,٣٨٨ مدرسا. وعدد الكليات فى البلاد هو ٦٨٨ كلية مع ٢٥٩٤٤٦ طالبا و طالبة - و توجد هناك

181

182

183

184

١١٤ كلية فنية و معهدا بما فيها مراكز التدريب المهنى - وتوجد هناك ثمانية كليات الطب و سبعة جامعات بما فيها جامعة الزراعة وجامعة الهندسة والتكنولوجيا وفن العمارة- وتوجد هناك كلية طب الأسنان ومعهد بعد التخرج للطب والبحوث - وسيتم اقامة خمسة كليات الطب حتى نهاية ١٩٨٥م - ويبلغ عدد طلاب الجامعات ٣٦٥٣٠ طالبا وطالبة وعدد اساتذتها ٢٤٣١ استاذا - ان اللغة البنغالية هى وسيلة التعليم فى المعاهد التعليمية بما فيها الجامعات و تستعمل اللغة الانجليزية ايضا فى الجامعات -

ان الحكومة قررت اقامه جامعة اسلامية فى البلاد وتوجد هناك ٢٦٥٧ معهدا و مدرسة دينية لتقديم الدراسة الاسلامية والمواد الحديثة واعلنت حاليا سياسة التعليم الجديدة

Mass Education

The Second Five-Year Plan (1980—85) includes a Mass Literacy Programme aimed at imparting literacy to all illiterate people within the age group of 11—45 numbering about 56 million. It is also the nation's target to educate 50% of the children aged upto 10 years within the same period. The government has also made arrangements to introduce compulsory free primary education by 1985. This will cover 13.5 million children of primary age and eliminate school dropouts. Text books will be distributed free of cost to students of class I and class II and this facility will be extended in phases to cover students of all classes in the primary schools. School uniform will also be distributed free of cost among students of class II.

L'Education de la masse

Le deuxième plan quinquennal (1980—85) comprend l'éducation de la masse, 11—45 ans (56 millions) et environ 50% des enfants jusqu'à l'âge de 11 ans. L'éducation primaire sera obligatoire vers 1985. Ceci évitera ceux qui quittent l'école à bas âge de le faire. On compte toucher 13,5 millions d'enfants. Les livres de classe seront distribués gratuitement, au début, parmi les élèves de classes

I et II pour arriver à couvrir toutes les classes de l'éducation primaire. Des uniformes seront distribués gratuitement parmi les étudiants de classe II.

التعليم العام

فى الخطة التنمية الخمسية الثانية جعل غير المتعلمين الذين يتراوح اعمارهم من ١١ سنوات الى ٤٥ سنة قادرين على القراءة والكتابة -

واتخذت خطوات لربط الطبقة المثقفة مع هذا المشروع - وتم تشكيل جماعت التدريب فى القرى - و يشارك الان الاف من طلاب المدارس الثانوية والكليات فى هذا المشروع و على كل واحد من الطلاب تعليم فرد واحد على الاقل للحصول على ٥٠ علامة فى الامتحان - وتم فتح مديرية مستقلة لتعليم الكبار -

وتتخذ الحكومة ايضا خطوات لجعل التعليم الابتدائى اجباريا و مجانا حتى ١٩٨٥م - و سيحتوى ذلك ١٣ مليون طفلا من البالغ عمرهم الى مستوى الالتحاق بالمدارس الابتدائية -

سيتم توزيع الكتب المدرسية و لباس المدرسة مجانا بين طلاب الصف الاول والثانى من السنة الجارية

Science and Technology

Bangladesh has limited natural resources. Science and technology has to play a very important role in accelerating the pace of economic development. It has, therefore, been the policy of the government to create an effective base so that the country depends less and less on imported technology and evolves one which is consistent with its resource endowments.

It was estimated that by mid-1979 Bangladesh had about 30,000 scientists and technologists with post-graduate qualifications and over 100,000 lower level scientific and technical personnel. The country has more than 50 research and development (R & D) institutions attached to research councils, universities etc.

The four main research councils are : (a) Bangladesh Council of Scientific and Industrial Research, (b) Bangladesh Atomic Energy Commission, (c) Bangladesh Agricultural Research Council and (d) Bangladesh Medical Research Council. All four promote and co-ordinate R & D activities. The first two also operate R & D laboratories, institutes and supporting services. About one-third of nearly 125,000 university-level students are in the areas of science and technology. Facilities for science teaching are being steadily expanded.

186

لاخرى
كومة
بناء
بما فى
والى
خمسة
بناء

178 Ou
179 Ki
180 A g
181 Ca
182 Fo
183 Un
184 Un
Technol
185 Ad
186 Ric
187 Ato
188 Lov

187

La Science et la Technologie

Etant donné que le Bangladesh a des ressources naturelles limités, on doit avoir recours à la science et à la technologie pour accélérer le dévéloppment. La politique du gouvernement a été toujours de créer des possibilités afin de réduire l'indépendance sur les technologies étrangères et trouver ses propres technologies afin de mieux servir le public.

Un chiffre approximatif: Bangladesh avait environ 30.000 scientistes et technoloigistes avec des qualifications post-universitaires et plus de 100.000 au niveau moins élevé. Le pays a plus de 50 centres de recherches et de développement (R &D) qui eux sont rattachés à des conseils de recherches, universités etc. Les quatre conseils de recherches principaux sont (a) Bangladesh Council of Scientific & Industrial Research (Conseil de Recherches Scientifiques et Industrielles du Bangladesh) (b) Bangladesh Atomic Energy Commission (Commission de l'Energie Atomique du Bangladesh); (c) Bangladesh Agricultural Research Council (Conseil de Recherches Agricoles du Bangladesh) (d) Bangladesh Medical Research Council (Conseil de Recherches Médicaux du Bangladesh). Les quatre facilitent et coordinent les recherches et les développements; les deux premiers ont des laboratoires pour les recherches et d'autres services. Des 12500 étudiants fréquantant les universités le tiers apprend les sciences et les techonologies. Et les facilités pour enseigner les sciences se multiplent d'année en anneé.

العلوم والتكنولوجيا

ينبغى ان تلعب العلوم والتكنولوجيا دوراهاما فى تسريع سرعة التنمية الاقتصادية فى بنجلاديش فى ضوء وجود الثروات الطبيعية القليلة ولذلك كانت سياسة الحكومة خلق الاسس الفعالة فى البلاد لتقليل اعتماد البلاد على التكنولوجيا المستورد وابداع التكنولوجيا الذى يلائم موهباتها الطبيعية -

وقدر بان بلغ عدد العلماء والخبراء فى التكنولوجيا الحاصلين على المؤهلات بعد التخرج ٣٠،٠٠٠ عالما حتى اواسط ١٩٧٩ م بينما يبلغ عدد الفنيين ١٠٠،٠٠٠ فنيا - وتوجد هناك اكثر من ٥٠ معهد البحوث التابعة للجامعات و لمجالس البحوث

وان مجالس البحوث الاربعة هى (ا) مجلس البحوث العلمية والصناعية بنجلاديش (ب) لجنة الطاقة الذرية بنجلاديش (ج) مجلس البحوث الزراعية بنجلاديش (د) مجلس البحوث الطبية بنجلاديش و تقوم هى بالتنسيق بين اعمال البحوث وان حوالى ⅓ من طلاب الجامعات يدرسون العلوم والتكنولوجيا - ويتم توسيع التسهيلات لتعليم العلوم والتكنولوجيا -

Sc

The
mer
and
20
in t
Soci
non
65
liftn
peo
yout
adu
tres
trai
faci
It al
49
volu
agen

Le
Sc

Le l
qu'a
de
soci
déve
(SS
opé
réha
il de
de
cent
prof
la r
nats
que

سام
ـد
ـية
ماعية
ـرأت
حطة

TOURISM
LE TOURISME
السياحة

DHAKA – A BLEND OF OLD AND NEW

This capital city was founded in 1608 in the days of Mughal greatness. Still its association with the Mughals accounts for a very large number of mosques, many of them possessing great architectural merit. The antiquities of Dhaka are many and varied. The Lalbagh Fort was built in the early 18th century by Prince Mohammad Azam, son of the Mughal Emperor Aurangzeb. Adjacent to the fort is the very well-preserved tomb of Bibi Pari, daughter of the celebrated Shaista Khan, the Mughal Governor of Bengal. This tomb is unusual for its use of marble and streak-plates as well as for its fine interior decoration. Other fine historical monuments include Hussaini Dalan, Bara Katra, Star Mosque, Mosque of Seven Domes and Dhakeswari Temple. Among Dhaka's modern public buildings are the new and very extensive campus of Dhaka University, the Supreme Court, Bangladesh Bank, Atomic Energy Centre, Dhaka Museum, College of Arts and Crafts, Kamalapur Railway Station and the magnificent National Assembly building at Sher-e-Bangla Nagar.

PLACES OF INTEREST
LES ENDROITS A VOIR
المناطق المرغوبة

RAJSHAHI – SEAT OF KINGS

Rajshahi means the royal territory. This district has witnessed one of the most glorious periods in the history of the Pala Kings of Bengal. Its famous Somapuri Vihara, otherwise known as Paharpur, is the largest known Buddhist monastery south of the Himalayas. The style found at Paharpur is undoubtedly a new concept which evolved from synthesis of Buddhist and Hindu elements in the 8th and 9th centuries.

RAJSHAHI – LE SIEGE DES ROIS

Rajshahi veut dire "territoire Royale". Ce district a été le témoin d'une des plus glorieuses périodes dans l'histoire des Rois PALA du Bengale. Son célèbre Somapuri-Vihara, connu aussi sous le nom de PAHARPUR, est le plus large monastère buddhiste au Sud des Himalayas. Le style de construction à Paharpur est sans doute une nouvelle conception qui a trouvé le jours des éléments buddhistes et hindous des 8 et 9 siècles.

راجشاهی، مقر الملوك

تعنى كلمة راجشاهی المنطقة الملكية، وشهدت هذه المحافظة احد العصور المجيده فى التاريخ لملوك بالا للبنجال - وان شوما بورى بهار المعروف بهار بور لهذه المنطقة هو من اكبر الاديرة البوزية فى جنوب همالیا وان الشكل الموجود فيها هو فكرة جديدة المتطورة من التركيب بين العوامل البوذية والهندوكية فى القرن الثامن والتاسع

215

212 Hotel Intercontinental at night . Dhaka
213 . 214 City of Dhaka
215 A historical palace-once the residence of Maharaja of Natore
216 Santal tribes
217 Historic Sona Masjid

212 l'Hotel Intercontinental –la nuit – Dhaka
213 . 214 Citée de Dhaka
215 Chateau historique - résidence du Maharaja de Natore
216 Tribu Santals
217 La Mosquée historique de Sona Masjid

212 فندق انتركونتى نينتال ليلا - داكا
213 . 214 مدينة داكا
215 قصر تاريخي - منزل ملك ناتورسابقا
216 شوتال - قبيلة من قبائل
217 شونا مسجد - التاريخي

216

217

SYLHET—LAND OF SAINTS AND TEA

Sylhet lies in a serene valley at the foot of the Khasia Hills. It is well-known as the land of the famous Muslim saint Hazrat Shah Jalal and his large band of early Arabs who came to spread Islam in this region. Gentle slopes, rich light soil, congenial climate and abundant rainfall make Sylhet one of the richest producers of tea in the world. They have also provided Sylhet with rich tropical forests where big game -- tiger, leopard, panther and wild boar- abound. The famous Manipuri dance has captured worldwide interest.

SYLHET—TERRE DE SAINTS ET DE THE

Sylhet est une vallée paisible aux pieds des collines KHASI. Sa renommée est due au saint musulman très vénéré, Hazrat Shah Jalal et ses disciples arabes qui répandirent l'Islam dans cette région.

Des pentes douces, une terre fertile, un climat approprié, une pluie en abondance ont fait de Sylhet le plus riche producteur de thé du monde. Les fôrets luxuriantes tropicales sont les sanctuaires de tigers, léopards, panthers et sangliers. Le paysage de Sylhet est incomparable.

Le "MANIPURI"est de réputation mondaiale.

سلهت : ارض الاولياء والشاى

تقع منطقة سلهت فى وادى هادى تحت جبال خاشيا وهى معروفة كارض الاولياء المسلمين وعلى راسهم سيدنا شاه جلال واتباعه العرب الذين جاءوا الى هذه المنطقة لنشر الاسلام وان الجوا الملائم وسقوط الامطار بالكثرة و التربة الغنية جعلت سلهت من اشهر المناطق فى العالم لانتاج الشاى - واعطت هذه الامور ايضا غابات استوائية فى سلهت مع عدد كثير من النمر والفيل والاسد وغيرها - وان الرقص المونيبورى قد احرزت على شهرة عالمية -

219

218 The shrine of Hajrat Shah Jalal at Sylhet—the great torch bearer of Islam
219 Tea garden
220 Manipuri tribal dance

218 Tombeau du Saint Hajrat Shah Jalal à Sylhet l'Illustre porte flambeau de l'Islam
219 Jardin de thé
220 Dance tribale "Le Manipuri"

218 مزار حضرة شاه جلال فى سلهت حامل لواء الاسلام العظيم
219 حديقة الشاى
220 رقص مونى بورى القبائلى

220

MYMENSINGH—PLACE OF FOLK TRADITIONS

From the foot of the Garo Hills in the north down to the plains of Dhaka in the south lies Mymensingh district in the heart of the deltaic region of three great rivers-Jamuna, Meghna and Dhaleswari. Along the northern frontier of the district there are many aboriginal tribes such as Garos, Hajongs and Hodis who are ethnically quite distinct and have a social structure of their own.

Mymensingh possesses a rich and varied tradition in folk literature and folk music which take inspiration from the countryside, the green landscape, the great rivers, the monsoon rains and the changing seasons.

MYMENSINGH-DISTRICT DE TRADITIONS FOLKLORIQUES

Des pieds des collines GARO au Nord jusqu'aux plaines de Dhaka au Sud se trouve le district de Mymensingh, situé au coeur même de la région deltaique de trois grandes fleuves : Jamuna, Meghna et Dhaleswari. Tout au long de la frontière Nord du district il y a des tribus indigènes tels que : GARO, HAJONGS et HODIS qui sont des éthniques très distincts et ont une structure sociale à eux propre.

Mymensingh possede une tradition riche et variée dans la littérature et la musique folklorique qui prennent inspiration de la campagne, du payage verdoyant, des grandes fleuves, des pluies de la mousson et des saisons changeantes.

ميمن سنج : مقر التقاليد الشعبية

تقع محافظة ميمن سنج فى منطقة دالتية لثلاثة انهار جمنا ، ميجنا و دلشرى و بين جبال غارو فى الشمال و سهل دكا فى الجنوب و فى الحدود الشمالية للمحافظة - توجد هناك كثير من القبائل البدائية مثل غارو و هازونج وهودثيس التى مختلفة عرفيا و تمتلك اشكالا اجتماعية خاصة -

و تمتلك ميمن سنج تقاليدا غنية و متنوعة فى الأدب الشعبى والموسيقى الشعبى التى تاخذ الاشارة من الارياف والمشاهد الخضراء والانهار الكبيرة و الامطار والمواسم المتغيرة -

221 Country boat
221 Un bateau local
221 قاربة محلية

222

MAINAMATI—SEAT OF LOST DYNASTIES

Five miles west of Comilla town lies a range of low hills known as the Mainamati-Lalmai ridge famous for having been an important seat of Buddhist culture. Large scale excavations have revealed valuable information concerning Buddhist rulers who flourished here as independent kings during the 7th and 8th centuries. There are many archaeological remains here but work has been concentrated at three of the most important places-Salban Vihara, Kotila Mura and Charpatra Mura.

MAINAMATI-SIEGE EES DYNASTIES PERDUES

Cinq miles au Nord de la ville de Comilla se trouve une chaine de collines pas très hautes, connues sous le nom de MAINAMATI-LALMAI renommée d'avoir été le siège principal de la culture buddhiste. Des excavations d'une grande envergure ont permis de mettre à jour des informations utiles concernant les rois buddhistes qui ont règné et prospéré pendant les 7è et 8è siècle. Il y a plusieurs sites archaélogiques dans cette région mais trois sites principaux ont été choisis : Salban Vihara, Kotila Mura et Charpatra Muro.

مينامتى: مقرالسلالات الحاكمة المفقودة

تقع على بعد خمسة اميال فى غرب مدينة كوميلا سلسلة الجبال لجبال مينامتى - لالمائ المشهورة لكونها مكانا هاما للثقافة البوذية - وكشف الحفر بوسيع النطاق المعلومات القيمة المتعلقة بالحكام البوذيين الذين حكموا المنطقة كالملوك المستقلين خلال القرن السابع والثامن - وتوجد هناك كثير من البقايا الاثارية ولكن تم تركيز الاعمال على اهم الامكنة الثلاثة بشالبون بهار وكوتيلا مورا و جاربترا مورا -

CHITTAGONG—GATEWAY TO THE BAY OF BENGAL

Chittagong is a large and thriving city set amidst lovely natural surroundings and is studded with green clad knolls, coconut palms, mosques and minarets. It faces the blue waters of the Bay of Bengal. It is an ancient place. Centuries ago merchants from China visited it. They were followed by the Arabs, the Persians and the Portuguese. The celebrated Muslim geographer, Ibn-i-Batuta, described Chittagong as Madinatul-Akhzar meaning the green city.

This premier port city of Bangladesh now boasts of a huge industrial complex apart from being a thriving centre of commerce and the headquarters of the railway system. The hinterland is famous for hill tracts and scenic beauty to which Chittagong is the gateway.

CHITTAGONG – PORTE D'ENTREE DE LA BAIE DU BENGALE

Chittagong, faisant face à la baie du Bengale, est une grande ville pleines d'activités, bâtie permi des monticules vertes, des cocotiers, des mosquées et des minarets. Il y a des siècles de cela, les chinois l'ont visitée, succédée par les arabes, perses, protugais. Le célèbre geographe, Ibn-i-Batuta, a baptise Chittagong "Madinatul-Akhzar" (Citée verte).

Cette citée portuaire principale du Bangladesh est devenue un complexe industriel hormis d'être un centre commercial et le Quartier Général du Chemin de Fer du Bangladesh. Cette ville est célèbre pour ces innombrales collines et ses payages sont d'une beauté exceptionnelle.

شيتاجونج : الباب الى خليج البنجال

ان مدينة شيتا جونج هى مدينة كبيرة و مزدهرة الواقعة بين البيئات الطبيعية و غنية فى الاشجار والمساجد والهضبات الصغيرة وتواجه هى المياه الزرقاء لخليج البنجال وهى منطقة قديمة جدا - وزارها التجار من الصين قبل القرون وتابعهم العرب و تجار فارس والبرتغال - و وصفها كالمدينة الخضراء ابن بطوطة عالم الجغرافيا المسلم الشهير -

وبالاضافة الى كونها ميناء رئيسيا للبلاد توجد هناك كثير من المصانع و مراكز التجاره ويقع المقر الرئيسى للسكك الحديدية هناك - وانها باب الى المنطقة الخلفية الشهيرة للاشجار والجمال الساحر الطبيعى -

225

226

222 The boat with earthen pots starts for a market
223 Mainamati—Seat of Budhist culture
224 The city of Chittagong
225 The bank of Karnaphuli, Chittagong
226 A busy Commercial Area, Chittagong

222 Un bateau chargé de pots en route pour le marché
223 Mainamati - Siège de la Culture Buddhiste
224 La citée de Chittagong
225 Les rive de la rivière Karnaphuli,
226 Un centre commercial, Chittagong

222 القارب يذهب الى السوق مع الامتعة
223 ميناماتى - مركز الثقافة البوذية
224 مدينة شيتاجونج
225 ساحل نهر كرنابولى - شيتاجونج
226 منطقة تجارية فى شيتاجونج

227

RANGAMATI—HEART OF THE LAKE DISTRICT

Rangamati is the headquarters of the Chittagong Hill Tracts district. About 50 miles from Chittagong and connected by a good metalled road, Rangamati with its vast lake and scenic beauty is a favourite holiday resort. The district is well known for its tribal life. At a nearby place, named Tabalchhari, there is a handicraft centre which produces varieties of souvenirs. In addition, the tribal museum at the palace of the Chakma Raja is quite an attraction.

RANGAMATI-SITUEE AU COEUR D'UN DISTRICT DE LACS

Rangamati est la ville capitale du district de "Chittagong Hills Tracts". Située a 50 miles de Chittagong, elle est liée par une bonne route. La route qui mène le touriste vers Rangamati serpente entre les collines, monte et descend, offrant ainsi aux yeux une beauté sans égale. Ses lacs qui refletent les collines vertes, quelques touristes qui font du ski nautique, les éthniques avec leurs charges sur le dos, telles sont les vues qui vous souhaitent la bien venue à Rangamati, cèlébre également pour sa vie tribale.

Tout près de Rangamati, à Tabalchhari, il y a un centre d'artisanat ou l'on peut se procurer de

228

souvenirs. Le musée du Raja de Chakma est une autre place d'intérêt à visiter.

رانجاماتی : قلب محافظة ذات البحيرة

رانجاماتی هی المقر الرئيس لمحافظة تلال شيتاجونج وتقع هی علی بعد ٥٠ ميلا من مدينة شيتاجونج ومرتبطة معها بطريق معبد جيد - وان رانجاماتی هی مقر قضاء العطلات لوجود البحيرة الكبيرة و الجمال الطبيعی الساحر هناك - وهی ايضا مشهورة للحياة القبلية وفی تبل جری مكان قريب من رانجا ماتی يوجد مركز الصناعة اليدوية التی تنتج المواد التذكارية المتنوعة وبالاضافة الی ذلك يوجد هناك ايضا متحف القبائل بقصر ملك جاكما.

229

227 Rangamati lake, Chittagong Hill tracts
228 Chakma Tribes
229 A tribal dancer

227 Le lac Rangamati, Chittagong Hills Tracts
228 La tribu "Chakma"
229 Une dance tribale.

227 بحيره رانجا ماتی ، تلال شيتاجونج
228 جاكما ، قبيلة من قبائل تلال شيتاجونج
229 رقص قبلی

KAPTAI—THE LAKE AND THE HYDEL STATION

A 40-mile drive from Chittagong will bring a visitor to a huge expanse of emerald-blue water surrounded by majestic tropical forests. This is Kaptai lake formed by damming the mighty Karnaphuli river. Once the entire area was a dense forest for wild elephants, tigers and leopards to roam about. The small Kaptai township has grown up around the country's only hydro-electric station from where power is distributed to other regions through a national grid line. Served by an excellent road and all modern amenities, Kaptai draws many holiday makers. Two miles away stands an ancient Buddhist temple where some fine sculptures are preserved.

KAPTAI— LAC ET STATION HYDRAULIQUE

Une route excellente de 45 miles vous apporte à cette étendue d'eau d'une couleur bleue émeraude entourée de fôrets tropicales qu'est Kaptai. Ce lac artificiel a été creusé en **endiguant la, rivière** Karnafuli C'était auparavent le **sanctuaire** des éléphants sàuvages, tigres, léopards et sangliers. Aujourd'hui, autour du lac la petite ville de Kaptai a pris naissance. C'est la seule station hydraulique qui produit de l'électricité qui est distribuée partout.

Kaptai, d'un accès facile, attire beaucoup de touristes. A deux miles de la ville il ya a un temple buddhiste très ancien où l'on peut admirer quelques sculptures bien préservées.

كابتائ : البحيرة ومحطة الطاقة المائية

بعد قيادة السيارة لاربعين ميلا من شيتاجونج سيصل احد الى امتداد وسيع للمياه الزرقاء المحاطة بالغابات الاستوائية المهيبة - وهذه بحيرة كابتائ الموضوعه ببناء السد عبر نهر كرنابولى وكانت هناك غابات كثيفة مع الفيل والنمر والاسد والحيوانات الاخرى - ونشأت هناك مدينة كابتائ حول محطة الطاقة الكهربائية المائية الوحيدة للبلاد التى يتم توزيع الكهرباء منها الى المناطق الاخرى بواسطة شبكة الخطوط الوطنية ويزور عدد كبير من السياحيين كابتائ لكونها مرتبطة مع شيتا جونج بالمواصلات الجيدة- ويقع معبد بوذئ قديم على بعد ميلين من كابتائ ويوجد فيه عديد من التماثيل الجميلة-

235 Historic sixty dome mosque at Bagerhat, Khulna 235 La mosquée historique ayant 60 domes à Bagerhat, Khulna وستين قبة فى باغرهات. خلنا

235

فى ساعتين عند كون الموج عاريا وان المدينة تجذب السياحيين بعدد كبير لتوفر تسهيلات خمسة موتيلات و بيوت الراحة والمواصلات البريه والبحرية والجوية -

SUNDARBANS—HOME OF ROYAL BENGAL TIGER

The Sundarbans, named after Sundari trees, is a thick tropical forest with deltaic swamps along the country's coastal fringe. It is the home of the Royal Bengal Tiger. About 400 of these majestic beasts now stalk the length and breadth of the swampy forest preying on a large population of dear and wild boar under full protection of the government's wildlife preservation regulations. A close look at the Sundarbans will astonish the visitor with the sheer exuberance of its vegetation and of the variety of its animal, bird and fish life. Gewa wood from this forest serves as the principal raw material for the nation's 40,000-ton capacity newsprint mills at Khulna. Facilities of transport and accommodation have been built up for tourists.

SUNDERBANS-SANCTUAIRE DU TIGRE ROYAL DU BENGALE

Le Sunderbans qui eut son nom aux arbres "Sunderi" qui y poussent en abondance, est une foret tropicale epaisse avec des mares deltaiques qui longent la cote du pays. C'est le domaine du tigre royal du Bengale. Il y a apeu pres 400 de ces tigres majecteux qui vivent dans ces forets a cote d'une population considerable de cerfs et de sangliers, tous proteges par le gouvernement.

En regardant bien cette foret, le visiteur est emerveille par la densite de sa vegetation, ses differentes especes d'animaux, d'oiseaux et de la vie aquatique qui y prosperent.

Il y a egalement le bois "Gewa" matiere premiere pour l'usine a papier et a papier a journal de Khulna qui produit 40.000 tonnes.

Il y a beaucoup de facilites pour les touristes.

شندربن: بيت ريل بنغال تائيجار

شندربن المسمى كذلك لوجود اشجار شندرى فيها هى غابة كثيفة استوائيه مع المستنقع الدالتى الواقعة فى الساحل الجنوبي - وهى مقر رايل بنغال تائيجار وان حوالى ٤٠٠ راسا من هذا الحيوان المهيب تتجول فى هذه الغابة وتعيش على صيد الايل تحت حماية كاملة من الحكومة - وان هذه الغابة مع الحيوانات والطيور والاسماك المتنوعه تدهش الزائرين اليها - و

236

237

يستعمل مصنع الورق الصحفى بخلنا شجرة قوا
كالمادة الخامة الموجودة بكثرة فى شندربن
وينتج هذا المصنع ٤٠,٠٠٠ طنا من الورق الصحفى
سنويا - وتم تطوير المواصلات والنقل فى المنطقة
للسياحيين -

236, 237, 238 The Sunderbans-abode of world famous Royal Bengal Tiger

236, 237, 238 Les Sunderbans — santuaire du renomme Tigre du Bengale

236, 237, 238 شندربن - مسكن نمر شهير فى العالم - رويل بنغال تائغار

GENERAL INFORMATION

Location :	Between 20° 34′ and 26° 38′ North Latitude and 88° 01′ and 92° 41′ East Longitude.
Area :	55,598 sqr. miles.
Population :	About 90 million with annual growth rate of 2.36%. Density per square mile is about 1566. Muslim : 85% Hindus : 14% Christians : 0.25% Buddhists : 0.75%
Capital :	Dhaka (present area 100 sqr. miles, master plan 300 sqr. miles).
State language :	Bangla (Bengali) English is also widely spoken and understood.
Bangladesh time :	6 hours ahead of GMT.
Major Crops :	Jute, Rice, Tea, Tobacco, Sugarcane and Pulses.
Major Industries :	Jute, Sugar, Paper, Textile, Fertilizer, Steel, Cement, Newsprint, Pharmaceuticals, Shipbuilding, Electrical Manufacturing, Leather and Silk.
Seaports :	Chittagong and Chalna.
Airports :	Dhaka, Chittagong, Jessore, Ishwardi, Sylhet, Saidpur and Cox's Bazar.

INFORMATIONS GENERALES

Situation Geographique :	Entre Lattitude Nord 20° 34′ et 26° 38′ et Longitude Est 88° 01′ et 92° 41′.
Superficie :	55.598 Miles carres.
Population :	Environ 90 million avec une croissance de 2,36% par an. Desnsite au mile carre est d'environ 1566. ISLAM : 85% HINDOUISME : 14% CHRISTIANISME : 0,25% BUDDHISME : 0,75%
Capitale :	Dhaka (superficie actuelle 100 miles carres, passera a 300 miles carres).
Langue officielle :	BANGLA (Bengali), L'anglais est egalement parle et compris.
Heure locale :	6 heures en avance avec l'heure GMT (GMT + 6).
Recoltes principales :	Jute, riz, the, tabac, canc a sucre et plantes legumineuses.
Industries Principales :	Jute, sucre, papier, textile, engrais, acier, ciment, papier a journaux, pharmaceutiques, construction navale, industrie electque, peau, et scie.
Ports maritimes :	Chittagong et Chalna.
Aeroports :	Dhaka, Chittagong, Jessore, Ishwardi, Sylhet, Saidpur, et Cox's Bazar.

المعلومات العامة

المعلومات العامة

الموقع:
بين ٣٤ َ٢٠ و٣٨ َ٢٦ خط العرض شمالا
و ٠١ َ٨٨ و ٤١ َ٩٢ خط الطول شرقا

المساحة : ٥٥،٥٩٨ ميلا مربعا

عدد السكان : حوالى ٩٠ مليون نسمة مع نسبته النمو السنوية ٢،٣٦٪ وكثافة عدد السكان فى كل ميل ١٥٦٦ نسمة
نسبة المسلمين ٨٥٪ : نسبة الهندوكين ١٤٪
نسبة المسيحين : ٠،٢٥٪ نسبة البوزيين ٠٬٧٥ ٪

العاصمه : دكا :(المساحة الحالية ١٠٠ ميلا مربعا - و٣٠٠ ميلا مربعا حسب الخطة الشاملة)

اللغة الرسمية : اللغة البنغاليه :
يعرف كثير من الناس اللغة الانجلزية

التوقيت ا بنجلا ديشى : ٦ ساعات متقدمه من توقيت غرينيج

المحاصيل الرئيسية : الجوت والرز والشائ والتبغ و قعب السكر والعدس

المصانع الرئيسية : الجوت والسكر والورق والنسيج والاسمدة والصلب والاسمنت والورق الصحفى والادوية - ونباء السفن وانتاج المواد الكهربائية والجلود و والحديد

الموانى ! شيتاجونج وجالنا
المطارات ! دكا - شيتاجونج - جسور - ايشردى - سلهت - سيدبور - كوكس بازار